'TOCA O BARCO'

HISTÓRIAS DE
RICARDO BOECHAT
CONTADAS POR QUEM CONVIVEU E TRABALHOU COM ELE

'**TOCA O BARCO**'

Direção editorial: **Bruno Thys e Luiz André Alzer**

Capa: **André Hippertt e Mariana Erthal** | www.eehdesign.com

Projeto gráfico e diagramação: **Mariana Erthal** | www.eehdesign.com

Revisão: **Camilla Mota**

Foto da capa: © **Bruno Miranda**

Dados Internacionais de Catalogação na Publicação (CIP)
(eDOC BRASIL, Belo Horizonte/MG)

T631   Toca o barco: histórias de Ricardo Boechat contadas por quem conviveu e trabalhou com ele / Editores Bruno Thys, Luiz André Alzer. – Rio de Janeiro (RJ): Máquina de Livros, 2019.
176 p. : 16 x 23 cm

ISBN 978-85-54349-09-7

1. Boechat, Ricardo, 1952-2019. 2. Jornalismo – Brasil – História. 3. Jornalistas brasileiros. I. Thys, Bruno. II. Alzer, Luiz André.

CDD 079.81

Grafia atualizada segundo o Acordo Ortográfico da Língua Portuguesa de 1990, em vigor no Brasil desde 2009

1ª edição, 2019 - 2ª reimpressão

Todos os direitos reservados à **Editora Máquina de Livros LTDA**
Rua Francisco Serrador 90 / 902, Centro, Rio de Janeiro/RJ – CEP 20031-060
www.maquinadelivros.com.br
contato@maquinadelivros.com.br

Nenhuma parte dessa obra pode ser reproduzida, em qualquer meio físico ou eletrônico, sem a autorização da editora

À memória de Boechat,
pelo conjunto da obra

Sumário

Nota dos editores 10

Ricardo Boechat - Jornalismo com indignação e paixão 13

Ricardo Boechat - Histórias de quem conviveu e trabalhou
com ele 37

Adriana Barsotti 38

Aluizio Maranhão 43

Ana Cláudia Guimarães 46

André Hippertt 50

Ancelmo Gois 52

Angela de Rego Monteiro 55

Anna Ramalho 62

Aziz Ahmed 68

Chico Otavio 73

Datena 77

Fernando Mitre 79

Aroeira 84

Flávio Pinheiro 86

Gilda Mattoso 90

Gilson Monteiro 94

Joaquim Ferreira dos Santos 101

José Carlos Tedesco 107

José Simão 111

Leilane Neubarth 113

Luiz Antonio Mello 116

* *Chico Caruso* 122

Luiz Megale 124

Maurício Menezes 127

Milton Neves 132

Patrícia Hargreaves 136

Rodolfo Schneider 142

Ronaldo Herdy 147

Rosangela Honor 155

* *Cláudio Duarte* 162

Sergio Pugliese 164

Tatiana Vasconcellos 168

Telma Alvarenga 172

Nota dos editores

Em 11 de fevereiro de 2019, o Brasil perdia uma de suas vozes mais indignadas, respeitadas, reverenciadas e queridas. A comoção que se seguiu à morte de Ricardo Boechat reuniu, num mesmo barco, ricos e humildes, poderosos e anônimos, parentes, amigos, colegas e desconhecidos, um fato raro em se tratando de alguém que não era pop star. Para Boechat, o estrondoso sucesso alcançado no jornal, na TV e, principalmente, no rádio nunca foi causa, mas consequência de sua devoção à busca de informações que fizessem diferença na vida de cada um. E, para isso, ele não tinha limites.

O objetivo neste livro é contar histórias do jornalista fora dos padrões, que rompeu com a vaidade, eliminou as divisórias entre casa, trabalho, vida pessoal e profissional, e fez do seu ofício um sacerdócio. Embarcaram no projeto 32 colegas que trabalharam, conviveram, sofreram e se divertiram com Boechat ao longo de seus 66 anos de vida. São testemunhos e depoimentos que espelham e ajudam a entender sua multifacetada figura.

A relação dos participantes surgiu de forma quase espontânea, em que convidados sugeriam outros nomes, e assim sucessivamente. Não é uma lista completa, tampouco definitiva. Também não houve direcionamento ou pauta. Alguns optaram por realçar lembranças e casos pessoais; outros, por fechar o foco no jornalista, o que, aliás, não faz grande diferença: impossível dissociar a figura humana da do profissional. O Boechat jornalista era o Boechat 24 horas por dia, e vice-versa. Por isso, há histórias, algumas já folclóricas, que se repetem em depoimentos distintos e com pequenas diferenças nos detalhes.

Embora escrito por corações e mentes marcados por admiração e saudade, entre os objetivos deste livro não consta o da beatificação de Boechat – nem os amigos reunidos neste barco fariam essa maldade. Uma de suas virtudes era reconhecer e falar abertamente de suas imperfeições. Se há uma outra intenção nas próximas páginas é a de torná-lo útil aos atuais e futuros colegas jornalistas e à sociedade em geral. Num momento em que a verdade está sob fogo cerrado, duvidar, apurar, questionar, criticar, revelar e denunciar – atributos essenciais da atividade que Boechat tão bem desempenhou por meio século – revestem-se de importância ainda maior.

Bruno Thys e Luiz André Alzer

(Os editores conviveram com Boechat em diferentes momentos nas redações do "Globo" e do "JB" e também se tornaram fãs dele)

RICARDO BOECHAT
JORNALISMO COM INDIGNAÇÃO E PAIXÃO

De segunda a sexta-feira e, com alguma frequência, aos sábados, Boechat dava bom dia e boa noite a sua audiência. Nada de rede social. O "bom dia" era ao vivo, do estúdio, às 7h30 – e já de gravata –, na abertura do programa que comandava na Rádio BandNews, com quase quatro horas de duração. O "boa noite", de paletó, às 19h20, no "Jornal da Band", com a energia e o frescor de quem cumpria ali a primeira tarefa do dia. Não raro, ainda participava de programas de entrevistas da emissora. Era uma jornada que parecia não ter fim.

O que pela legislação trabalhista seria um crime, para os colegas, uma insensatez, e, na opinião dos médicos, um tremendo risco, para ele era absolutamente normal. Para sua legião de fãs, também. Boechat era um coquetel de energia: transbordava inteligência, franqueza, curiosidade, indignação, irreverência e inconformismo. Aos 66 anos, entregava-se ao trabalho, tanto ou mais do que aos 18. Vivia e saboreava cada minuto do que fazia com entusiasmo juvenil, a ponto de eliminar os limites entre casa e redação – e vice-versa. O prazer era o trabalho. Desde muito cedo e cada vez mais.

A franqueza, sem dúvida, ele herdou da mãe, Dona Mercedes, nascida na Argentina e criada no Uruguai. "Meu filho nasceu muito feinho", costuma contar. "O médico falou: 'Ainda bem que é um menino, porque é muito feio'". Veio ao mundo de parto normal, em 13 de julho de 1952, na cidade de Buenos Aires, e foi batizado Ricardo Eugênio, em homenagem ao avô materno, espanhol. O sobrenome Boechat tem origem nos imigrantes suíço-franceses que povoaram Friburgo. Era o segundo dos sete filhos de Dalton e Mercedes, que se conheceram e se casaram em Montevidéu. O pai dava aulas de português e literatura e foi ao Uruguai e à Argentina, a convite de Antonio Houaiss, diplomata, lexicógrafo e membro da Academia Brasileira de Letras, para ajudar na implantação de institutos culturais.

Boechat gostava de brincar com suas origens: "Sou precursor do Mercosul". De fato, seu primeiro idioma foi o espanhol. Em 1956, a família voltou ao Brasil e se fixou em Niterói, de onde ele só sairia em 1983, aos 31 anos, já pai de três filhos. Boechat e os irmãos desfrutavam de uma vida tranquila, de classe média alta. Moravam em Icaraí, bairro nobre da cidade. O pai tinha um bom salário na Petrobras; respondia pela comunicação. Segundo a mãe, ele era uma criança que adorava fazer perguntas, conversar com gente idosa, interessado em histórias de vida.

As melhores lembranças daquela época são as peladas na praia, paixão que o acompanharia por toda a vida e das poucas atividades capazes de rivalizar com o trabalho. Em 1997, num fim de tarde de sábado, já titular da mais importante coluna de notícias do Brasil, no jornal "O Globo", foi interrompido em plena pelada pelo colega Gilson Monteiro. Da calçada, Gilson fora avisá-lo que Xuxa, no auge da carreira, estava grávida. Um tremendo furo. Boechat olhou para Gilson, olhou para a bola e chutou a notícia para depois. Guardaria para publicar na coluna de segunda-feira. Domingo à noite, o "Fantástico" trouxe a informação exclusiva, e ele perdeu o furo.

Em 1964, com a revolução, Dalton foi demitido e passou a ser perseguido. Ele era militante do Partido Comunista. A vida da família deu uma guinada.

– Tinha 12 anos e vi tudo pelo avesso – contou Boechat ao jornalista e grande amigo Aziz Ahmed, para o livro "Memórias da imprensa escrita". – Eu estudava no Centro Educacional de Niterói e só continuei porque a diretora, Mhyrtes Wenzel, decidiu que filhos de cassados não seriam excluídos por falta de pagamento. Nos mudamos para o Saco de São Francisco. Meu pai era vigiado e perseguido. Nossa casa se tornou uma espécie de *drive-thru* da repressão. Gente do Exército, Marinha, Aeronáutica e Polícia Federal se revezava em batidas semanais, abrindo as mesmas gavetas, procurando as mesmas bobagens.

Essas ações terminavam invariavelmente com o pai preso por um ou dois dias. Pelo menos uma vez, Dona Mercedes também foi levada. "Ela protestava tanto, falava tanto durante as batidas que, numa dessas, os militares devem ter perdido a paciência e a prenderam". Muitos anos depois, ao consultar os arquivos do SNI (Serviço Nacional de Informações), ele soube que havia a suspeita de que Mercedes fosse um elo no Brasil dos guerrilheiros Tupamaros e que a casa funcionaria como paiol da luta armada.

– Minha irmã Beatriz, que morreu muito jovem de cirrose, em decorrência de uma hepatite mal diagnosticada, foi internada no Uruguai, onde a família tinha parentes e meios para tratá-la. Minha mãe ia e voltava de ônibus de Montevidéu, seguidamente, durante toda a internação. Daí a desconfiança dos militares.

A vida escolar terminou cedo: aos 17 anos, antes de concluir o segundo grau. Foi o primeiro filho a sair de casa. Vivia confuso, desinteressado e ansioso por buscar o próprio sustento, embora não soubesse o que, de fato, queria. Inscreveu-se no curso de vendedor de túmulos do Cemitério Jardim da Saudade, mas foi vetado, provavelmente pela pouca idade. Tentou, sem sucesso, distribuir material de escritório e, a exemplo dos pais, optou por oferecer, de porta em porta, a enciclopédia "Barsa".

Os clientes eram pais de antigos colegas. Numa dessas visitas, foi à casa de Cléber Saboia, diretor comercial do "Diário de Notícias" e pai da amiga Sônia. "O que você espera da vida vendendo livros? Você é bom em redação, interessado e curioso pelas coisas do mundo", disse. Ele recusou a coleção da "Barsa", mas ofereceu uma proposta desafiadora: "Faz o seguinte: vai lá no 'Diário de Notícias' e procura em meu nome o chefe de reportagem, Rui Bruno Ávila. Vê se ele tem algo pra você".

O que seria praticamente impossível hoje, quando o acesso às empresas de mídia se dá basicamente por provas, funcionou. Boechat ficou encarregado de abrir e ler a correspondência, atender telefone... enfim, o básico do básico. O jornal, que circulou de 1930 a 1974, estava decadente, mas ainda tinha uma editoria forte, a de Educação, que disputava noticiário e anúncios de cursinhos com o "Jornal dos Sports". Boechat tinha a missão de percorrer faculdades e reproduzir as listas de aprovados nos vestibulares, com suas respectivas notas.

Isso era 1969, tempo de endurecimento do regime militar. Sua primeira saída em busca de notícia foi exatamente no auge da repressão no Rio, no dia em que a Vanguarda Popular Revolucionária tinha sequestrado o embaixador suíço Giovanni Enrico Bucher. Com boa parte da redação envolvida na cobertura dos assuntos políticos, sobrou para o "foca" Boechat ir para o Galeão, onde Pelé embarcaria para os Estados Unidos. O Rio de Janeiro estava tomado por tropas militares e as ruas, bloqueadas. Mas, graças ao ímpeto do motorista da redação Oswaldo, eles não só chegaram ao aeroporto, como conseguiram uma foto de Pelé embarcando e algumas aspas. O "Diário de Notícias" foi o único a noticiar.

Boechat gostou da vida na redação: era o primeiro a chegar e o último a sair. A contratação foi rápida. Em quatro meses teve a carteira assinada como "repórter", assim mesmo, entre aspas.

– Nunca entendi estas aspas, mas guardei pra sempre a carteira – contava, às gargalhadas. – Eu estava fascinado pelo jornal, mas ainda não pelo jornalismo. Gostava mesmo de tirar onda com os amigos dizendo que era jornalista.

Pouco tempo depois, Nilo Dante, editor-chefe do jornal, ofereceu-lhe um bico. Anotou num papel um endereço em Copacabana, escrito à mão, com o nome Ibrahim, e lhe entregou. Num sábado de manhã, Boechat bateu à porta da sala 836 do número 43 da Rua Siqueira Campos, no Centro Comercial de Copacabana, e foi recebido por Ibrahim Sued. Levou um susto.

– O Nilo não deu detalhes e eu não sabia que se tratava de Ibrahim Sued, o maior colunista da época e um dos grandes de todos os tempos. Era pra cobrir férias. Sem nenhuma conversa, o Ibrahim me entregou uns sebosos *(velhos cadernos de telefones)* herdados do João Bosco Serra e Gurgel, que não trabalhava mais na coluna. Saí ligando para um monte de gente em busca de notícias, mas não escapei de algumas gafes: muitos daqueles nomes já tinham morrido.

* * *

Boechat trouxe de casa a curiosidade, uma visão mais humana e solidária do mundo e, por influência direta do pai, o gosto pela leitura. Na escola, desenvolveu a escrita: eram suas as melhores redações do Centro Educacional. E seu "diploma de jornalista" foi-lhe dado a duras penas por Ibrahim. Com ele, Boechat aprendeu muito do ofício: o que é informação exclusiva, fonte, concisão de texto, entre outros ingredientes essenciais de um bom repórter. Entendeu, sobretudo, a trabalheira que é garimpar notícias. E gostou. Gostou tanto que foi cobrir férias e ficou 14 anos trabalhando em tempo integral na coluna do Turco, como se referia a Ibrahim.

– Muita gente boa passou pelas mãos duras, ásperas e broncas do Ibrahim. Elio Gaspari é um deles. O Turco foi minha régua e compasso, razão pela qual me tornei colunista. Embora não fosse didático, longe disso, aprendi muito. Ele tinha sensibilidade para o que era popular, o que interessava às pessoas, o que repercutiria, e ainda sabia lidar com os gabinetes.

O que hoje seria bulliyng, assédio moral ou algo do gênero, Boechat encarava como regra do jogo:

– Ibrahim dava esporro o tempo todo. Tinha ojeriza a cascata e embromação. Isso resultava em descomposturas fenomenais. Era muito rigoroso. Exigia que os repórteres dele fossem capazes de chegar às fontes primárias, fossem quais fossem, e furassem qualquer bloqueio. Eu tinha que me virar, aprender a arte de ser confiável e íntimo de gente que eu passaria a conhecer apenas pelo telefone.

Ibrahim cobrava produção, volume, qualidade e habilidade. E estava sempre testando a equipe. Numa dessas, mandou Boechat ligar para o Kremlin. Mesmo desconfiado, foi em frente. Implorou à telefonista para fazer a ligação – não havia discagem direta para o exterior –, disse que era urgente, apelou, fez drama e, aliviado, avisou ao Turco que o Kremlin estava na linha.

– Você está maluco??? Que Kremlin? Que ligação é essa? – reagiu Ibrahim. – Kremlin é o caralho! Desliga esta porra!!! Uma ligação dessas vai me custar uma fortuna!

Ibrahim ignorava solenemente a legislação trabalhista. Boechat, ou Chita, como o chamava – por motivos ignorados –, recebia um modesto salário, não tinha carteira assinada, férias nem décimo terceiro. Considerava essas coisas "pura ficção legislativa". Foram 14 anos que marcariam para sempre Boechat, inclusive fisicamente. Ele desenvolveu calos nas orelhas, semelhantes aos de lutadores de jiu-jítsu, consequência das infinitas horas com dois telefones simultaneamente no ouvido, apurando notas. Gostava, aliás, de exibi-los nas palestras ou conversas com jovens jornalistas como marcas de sua longa e penosa caminhada na profissão.

– Fiz uma escola na qual a doutrina era procurar informações. Por trás de mim havia o primeiro e o maior dos pitbulls que já conheci, rosnando no meu ouvido 24 horas. Eu dormia e tinha pesadelo que a nota estava ruim, via a imagem dele rasgando as laudas. À custa de muita esofagite, úlcera, insônia e outras mazelas, aprendi o pouco que sei sobre apuração de notícia, de correr atrás de notícia e de apresentar esta notícia ao leitor – contou.

Com Ibrahim Sued, aprendeu ainda que apurar era uma coisa; publicar, outra bem diferente. Boa parte de sua produção ia para o lixo. Algumas notas serviam de material para o que Boechat batizou de "método Ibrahim para despertar e doutrinar o faro". Um exemplo ele contou em entrevista ao site Memória Globo: Boechat cultivava uma fonte no Ministério do Interior, que de vez em quando passava notícia dos índios do Xingu. Depois da terceira nota sobre o tema, Ibrahim perguntou:

– Chita, quantos exemplares você acha que "O Globo" vende no Xingu?

– Nenhum – respondeu.

– Então não me traga mais nenhuma nota de Xingu, porra!!!

A relação de Boechat com Ibrahim era tensa e sofrida. Ele estava permanentemente preparado para qualquer tipo de reação que seu trabalho pudesse gerar.

– Ibrahim era biliar. Se ele não gostava de uma notícia, simplesmente a ignorava. Uma vez consegui com o Paulo Torres, presidente do Senado, a notícia da fusão dos estados do Rio e da Guanabara. Como o Turco não gostava da ideia, simplesmente jogou fora a nota e ainda me deu um belo de um esporro. Em outra ocasião, apurei que o Projeto Jari, um baita investimento do magnata americano Daniel Ludwig, na Amazônia, estava micando. A nota foi publicada, mas um executivo do grupo ligou, pediu o desmentido e ele deu. Fiquei chateado, claro, até porque era uma notícia exclusiva, incontestável, forte e que se confirmaria um ou dois meses depois.

Ibrahim tinha lá seus momentos de generosidade, embora raros, entre eles o de passar a levar Boechat em algumas viagens internacionais depois de nove anos de convivência. Mas, com salário enxuto, esses luxos esporádicos não pagavam suas contas. Boechat se virava para complementar a renda e recorria a trabalhos por fora, os populares "frilas".

Fez assessoria de imprensa para Embratel, Rádio Nacional, Copacabana Palace e para Moreira Franco, na Prefeitura de Niterói e em sua campanha para o governo do Rio em 1982. Também ajudou na captação de obras de arte de leilões promovidos pelo marchand e ex-repórter de Ibrahim, Fernando Carlos de Andrade – vem desta época seu conhecimento e paixão pela arte.

A saída da coluna, em 1983, foi traumática. Depois de mais uma sessão de "rasgação de nota", Boechat simplesmente disse que estava indo embora. "Eu já tinha noção do que poderia fazer. Entrei na sala dele e avisei. Ele achou que era blefe", contou. Zózimo Barrozo do Amaral, que assinava uma coluna de muito prestígio no "Jornal do Brasil" e tinha boa relação com Boechat, convidou-o a fazer parte de sua equipe, que contava ainda com o jornalista Fred Suter e a secretária Marli.

Boechat e Zózimo se conheceram pessoalmente em 1980, num concerto no Teatro Municipal. A empatia entre os dois foi instantânea. Falaram sobre tudo, trocaram inclusive confidências profissionais. Boechat contou até que era comum jogar no lixo notícias quentes de personagens ou assuntos dos quais Ibrahim não gostava. Diante de tanto desperdício, Zózimo propôs ao colega reaproveitar no "JB" as notas não perecíveis desprezadas pelo Turco, com novo texto. Os telefonemas se tornaram frequentes:

– E aí, Boechat, tem algum lixinho pra mim?

A passagem pelo "JB" foi rápida o suficiente para incomodar "O Globo", com a sucessão de furos que a coluna do Zózimo começou a dar, depois do reforço de Boechat. "Fiz no Zózimo o que aprendi na coluna do Ibrahim". Foi chamado, então, por Evandro Carlos de Andrade, diretor de redação do "Globo", para o time do "Swann", uma coluna mais de cidade, leve, editada por Carlos Leonam, Fernando Zerlotinni e Ana Maria Ramalho.

A experiência foi boa e Boechat começou a colecionar furos, entre eles o que resultou no fechamento de um cassino no Clube Umuarama, na Gávea, com roleta, mesas de black jack e seguranças de smoking. Até que, no fim de 1986, aceitou o convite de Moreira Franco, que sucedera Leonel Brizola, para comandar a comunicação do governo estadual. Mas nem chegou a esquentar a cadeira: "Foram os piores seis meses da minha vida. Infelizmente o jogo político que se pratica no Brasil impede que se faça o trabalho que a gente se propõe a fazer neste campo", diria tempos depois.

A sucessão de experiências não tão instigantes prosseguiu com uma rápida passagem novamente pelo "Jornal do Brasil" e pela sucursal carioca do "Estado de S. Paulo".

– A despeito da convivência com gente ótima, como Flávio Pinheiro, Ancelmo Gois e Marcos Sá Corrêa, que me levou para o "JB", percebi que o jornal caminhava para um desfecho ruim. Havia ducados na redação. Fiz uma carta sugerindo a demissão do Kiko Nascimento Brito, filho do dono do "JB" *(Manoel Francisco do Nascimento Brito)*, que comandava o caderno "Cidade", como um feudo descolado do jornal, com regras próprias, horários de fechamento independentes etc. Já na sucursal do "Estadão" me sentia distante do comando da redação, do centro de decisões de um jornal.

Com 20 anos de carreira, Boechat retornou ao "Globo" em maio de 1989 e iniciou ali o que considerava o melhor período de sua carreira. Não andava satisfeito com as últimas experiências e estava com sangue nos olhos para retomar o trabalho em coluna. Queria garimpar notícias, escrever notas curtas, dar furos, revelar bastidores. Voltar para "O Globo" era um sonho. O convite, feito novamente por Evandro Carlos de Andrade, embutia uma lição e uma reflexão.

– Ele me ligou e disse que o Fred Suter estava fazendo bem a coluna "Swann", há dois anos, e que nunca tinha dado problema a ele, Evandro. Pensei: dar problema me define muito. Isso não me dá nenhum orgulho. Se não sou hoje o jornalista mais processado do Brasil, estou entre os três mais. Talvez o Helio Fernandes me vença nesse quesito. Entendo que uma das tarefas primordiais do jornalismo é mexer nas estruturas, incomodar o *establishment*, questionar quem tem poder.

Dar problema, admitia Boechat, era uma consequência de sua maneira de ser e de trabalhar. Não importava de quem se tratasse, fosse chefe, amigo, fonte etc. Ele teve alguns embates com o próprio Evandro, um dos mais poderosos diretores da história quase centenária do "Globo".

– Evandro era severo, mas justo. Um dia me questionou por dar apenas quatro linhas de um assunto que, na avaliação dele, mereceria uma matéria. Pediu que eu transformasse a nota em matéria. Argumentei que a essência da coluna era revelar notícias fortes em notas e que, se ele transformasse notas em matérias, tornaria a coluna um rebotalho do jornal. Ele concordou. E o jornal passou a dar chamadas das notas da coluna na primeira página.

Outra marca de que Boechat se orgulhava era a de ter personalizado as colunas. Antes eram colunas do "Globo" ou do "JB". Em 1997, numa conversa para voltar ao "Jornal do Brasil", Boechat negociava fazer o prestigiadíssimo "Informe JB", desde que o assinasse, coisa que não acontecia no "Globo" como titular da coluna "Swann". O "Informe" teve à frente nomes de ponta do jornalismo – Elio Gaspari, Wilson Figueiredo, Marcos Sá Corrêa –, mas jamais foi assinado.

Alertado da negociação em curso com a concorrência, Evandro abortou-a e reconheceu o prestígio de Boechat: a partir de 7 de dezembro de 1997, a coluna "Swann" passou a se chamar "Ricardo Boechat". Com isso, os demais espaços do "Globo" começaram também a ser assinados: Miriam Leitão, Tereza Cruvinel...

A relação com "O Globo" nem sempre foi tão harmoniosa. Boechat ficou contrariado quando o jornal contratou Zózimo em 1993.

– Ele foi ganhando cinco vezes mais do que eu, com o contrato indexado ao dólar e chamadas regulares na primeira página. Me senti desprezado, desvalorizado. Minha coluna tinha tanta leitura e prestígio que ocupava duas páginas, para poder acomodar os anunciantes que pagavam mais caro pra sair junto, o chamado anúncio determinado.

Boechat tocou o barco. Chateado, negociou a ida para a "Veja", em São Paulo, mas não queria tirar do Rio os filhos, que à época moravam com ele. Pouco tempo depois, "O Globo" equiparou seu salário ao do Zózimo, com quem Boechat teve uma ou outra rusga, nada, porém, que abalasse a amizade entre ambos. Boechat era fã do estilo elegante do Zózimo, com suas sacadas, metáforas, inteligência e graça das notas. Chamava-o de Barrozinho. Zózimo se encantava pela tenacidade de Boechat, incansável na busca de furos que lhe valeram os mais importantes prêmios de jornalismo. Só o Esso, foram três: na categoria Reportagem pelas denúncias de extorsão envolvendo a BR Distribuidora ("Estado de S. Paulo", em 1989); de Informação Política, sobre compras superfaturadas do Exército ("O Globo", em 1992); e de Informação Econômica, por uma série sobre contrabando nos portos do país ("O Globo", em 2001)

Em 1996, quando assumiu o jornalismo da TV Globo, Evandro, que anos antes já havia indicado sem sucesso Boechat ao vice-presidente de operações José Bonifácio de Oliveira Sobrinho, o Boni, levou-o para fazer uma participação diária no "Bom dia Brasil", apresentado por Leilane Neubarth e Renato Machado. A ideia era criar uma coluna de bastidores, com notas exclusivas, que iriam repercutir ao longo do dia. Boechat se saiu bem, embora essa nova frente tenha gerado ciúmes no jornal, já que passou a guardar alguns furos para a TV.

– Resolvi esta questão com o argumento óbvio: eu estava dando furos para empresas comandadas pelo mesmo dono, o doutor Roberto Marinho.

O prestígio, a experiência, a relação de confiança construída ao longo dos anos, nada disso pesou em sua traumática demissão do "Globo", em junho de 2001. Numa disputa pelo controle de empresas de telecomunicação – envolvendo o banqueiro Daniel Dantas e o empresário Nelson Tanure –, Boechat apareceu num "grampo" lendo para Paulo Marinho, funcionário de Tanure, o conteúdo de uma matéria que publicaria no jornal. O fato foi noticiado com estardalhaço pela revista "Veja". A direção do "Globo" alegou que tal comportamento feria o código de ética da empresa.

Naquela época, Boechat já era um dos mais influentes jornalistas do país e sua coluna, uma das mais lidas. A coleção de notícias exclusivas que publicava chegava a abalar os alicerces do poder central. Meses antes, por exemplo, havia revelado a quebra do sigilo do painel do Senado, com a descoberta de que senadora Heloisa Helena teria traído o PT na votação da cassação do senador Luiz Estevão.

A decisão do "Globo" fez Boechat mergulhar no silêncio. Só anos depois concordaria em falar sobre a demissão, segundo ele, "o momento mais triste e terrível" de sua carreira.

– Eu nunca pedi folha corrida da fonte, mas da notícia. Se o diabo me desse uma informação, eu não perderia de perspectiva de que era o capeta, mas iria me preocupar com a notícia. "O Globo" me conhecia. Era a minha casa. Se eu fosse dado a picaretagens, imagina o tamanho do meu patrimônio naquele momento.

Boechat pensou em jogar a toalha; achou que sua carreira estava acabada – "ser apresentado como picareta pela 'Veja', a maior revista do Brasil, representou um sofrimento muito grande". Ele se ressentiu, esperneou, cortou algumas relações. Meses depois, voltou ao "Jornal do Brasil", que já estava em acelerado declínio. Era sua terceira passagem pelo jornal, desta vez como colunista e também diretor de redação. Mais uma vez, não duraria muito tempo por lá.

* * *

Quando se abatia, Boechat se lembrava do exemplo da mãe, que, já às vésperas da terceira idade, fez faculdade de Sociologia na UFF, depois de Biblioteconomia e foi trabalhar. Anos mais tarde, ele encararia a demissão do "Globo" como brincadeira do destino.

– Aquilo me levou para outra direção, o rádio e a TV, e representou o período mais profícuo da minha vida, o mais proveitoso sob todos os aspectos: audiência, alcance, repercussão e até de ganho salarial, de imagem e de biografia. Nada disso teria acontecido se eu seguisse fazendo a coluna no jornal.

Foi uma completa reinvenção. Em 2004, inicialmente como chefe de redação da Band no Rio de Janeiro e logo em seguida ancorando um programa diário de rádio, Boechat se tornou uma das figuras mais admiradas e queridas do jornalismo e da mídia em geral. Houve uma rara simbiose entre ser humano e meio de comunicação. Ele passou a ocupar as manhãs do dial – das 7h30 às 11h30, a primeira parte em rede nacional e a segunda para o Rio – com notícias, comentários, críticas, entrevistas, observações e utilidade pública. Tudo embalado em um formato que alternava humor, acidez, indignação e, acima de tudo, cumplicidade com o ouvinte. Boechat admite que relutou em aceitar o convite e só o fez depois de levar uma dura de sua mulher, a jornalista Veruska Seibel.

– Ela falou: "Olha o que já te aconteceu no passado. De repente você fica sem nada".

Boechat se tornou a expressão do sentimento de uma parcela numerosa da população. Ganhou inúmeros prêmios e foi eleito o jornalista mais admirado do Brasil. É o maior vencedor do Prêmio Comunique--se, um dos mais importantes da mídia, com 18 troféus – em categorias de televisão, rádio e impresso, um caso único. Em entrevista ao colega Eduardo Barão, com quem dividia a bancada da BandNews, falou sobre seu sucesso no rádio.

– Usamos uma linguagem que sai do campo formal e cai na mais absoluta esculhambação. É como as pessoas são na vida real, ninguém quer ser tão engessado. Outro ponto determinante foi a quebra de alguns paradigmas no jornalismo. O mais inovador foi a inversão do polo da fé pública. A imprensa sempre comprou a versão final da autoridade. A gente percebeu o seguinte: por que um cidadão comum teria interesse em mentir para uma emissora? Não tem nenhum sentido. E a gente passou a colocar toda a fé pública nesse cidadão. Ele começou a identificar a rádio como um espaço no qual se fazia ouvir.

Mesmo tendo chegado ao rádio já veterano, com mais de 30 anos de estrada, Boechat marcou o meio de forma profunda, sem, entretanto, abandonar a TV e o jornalismo impresso – entre 2006 e 2008, teve uma coluna no jornal "O Dia" e, a partir de 2008, na revista "IstoÉ". Porém, ficava cada vez mais evidente a sua preferência pelo rádio, o prazer em fazer o programa todos os dias.

– Eu não sou no ar diferente do que sou na vida. Cheguei no rádio idoso, com minha vida profissional resolvida, e pensei: vou usar o rádio para ser o que sou. Quero olhar para as coisas como eu olho normalmente. Não vou construir um personagem. O que me der vontade de falar, eu falo. É como se me sentisse ali dentro exatamente como me sinto em casa, batendo papo com um amigo. Por alguma razão, ou talvez essa, as pessoas se identificaram com a convivência e se sentiram íntimas do programa.

Boechat costumava repetir que o rádio, diferentemente dos demais meios, fala direto ao coração. Ele reconhecia e valorizava o tempo de que dispunha, em contraste com a pressa da TV. "Eu brinco que no rádio o senhor é o minuto e na TV, o segundo. No rádio, eu falo pelos cotovelos", dizia. De fato, falava muito e muito bem. Um português impecável, rico, com frases harmoniosamente encadeadas e raciocínio preciso.

Como chefe, era duro, exigente e extremamente leal. Dava broncas em sua equipe até mesmo no ar. Não raras vezes, chamou a atenção de jovens repórteres por imprecisão, falta de informação ou ingenuidade, e os instruía mesmo durante a reportagem. Esforçava-se para guardar os palavrões para fora do ar, mas às vezes "vazava".

Em seus quase 14 anos de programa, protagonizou momentos antológicos. Um dos mais célebres foi a reação a um post do pastor Silas Malafaia, no Twitter, criticando comentários seus sobre intolerância religiosa. "Ô, Malafaia, vai procurar uma rola, vai! Não me enche o saco. Você é um idiota, um paspalhão, um pilantra, torrador de grana de fiel, explorador da fé alheia. E agora vai querer me processar pelo que eu acabei de falar, porque é isso que você faz. Você gosta muito de palanque, e eu não vou te dar palanque porque você é um otário. Você é homofóbico, uma figura execrável, horrorosa, que toma dinheiro das pessoas a partir da fé". O vídeo com seu discurso, gravado no estúdio da BandNews, viralizou e Boechat, mais tarde, reconheceria que perdeu as estribeiras. Pediu desculpas aos ouvintes, mas não sobre o conteúdo, e sim em relação à forma.

No rádio, ele pôde usar seu acervo próprio de experiências – boas e más – para ilustrar comentários, críticas e denúncias. Citava a mulher (a "doce Veruska"), os filhos, Dona Mercedes, os irmãos e amigos. Era Boechat em estado puro. Se não tinha papas na língua para criticar o que considerava indigno, também não se autocensurava para proteger desconfortos pessoais. Assim como franqueava seu celular aos ouvintes, dividia com eles as questões mais íntimas, a ponto de seu lado humano e pessoal rivalizar com o de jornalista.

Um dos mais surpreendentes episódios aconteceu em agosto de 2015, quando abriu seu coração e compartilhou a depressão que o impediu de tocar o barco por um breve período. O drama começou numa manhã, alguns minutos antes de entrar no ar na BandNews. Boechat travou, não conseguia falar nada. Saiu do estúdio, trancou-se no camarim da TV e chorou compulsivamente. Durante 15 dias, ouvintes ligaram sem parar para a rádio, preocupados. A emissora, em respeito, preferiu manter o silêncio.

Quando reapareceu, Boechat resolveu falar no ar abertamente sobre o assunto. Disse que teve um "surto depressivo agudo", que o levou à paralisia mental e a uma profunda dor na alma que a doença lhe impôs. Fez mea-culpa pelo excesso de trabalho e ensinou: "Se não reservarmos um tempo para nos sentirmos bem, mais tarde teremos que despender tempo para passar mal. Essa é a grande lição que aprendi".

O que poderia chocar sensibilizou a audiência. Uma multidão de ouvintes o acolheu e compartilhou seu relato. Publicado nas redes sociais, em algumas horas o depoimento fora visto e comentado por 17 milhões de brasileiros. Ele recebeu apoio e conforto de gente com dificuldades semelhantes e passou a ser convidado a dar palestras para grupos de autoajuda, em congressos e seminários médicos.

A lista de episódios emblemáticos de Boechat no rádio se conta às centenas. Mas, além de suas opiniões sempre incisivas, os bate-papos com os colunistas eram momentos aguardados, especialmente a dobradinha com José Simão, um dos pontos altos do programa. Difícil saber quem se divertia mais com as piadas de Simão sobre o noticiário: se ambos ou os ouvintes. Eram minutos ininterruptos de gargalhada.

Boechat não escolhia adversário. Em outubro de 2016, comprou a briga da apresentadora Monica Iozzi, condenada a pagar R$ 30 mil por criticar Gilmar Mendes, do Supremo Tribunal Federal: "Isso é uma piada, é uma brincadeira que um ministro da mais alta corte do país se exponha ao ridículo de processar uma jornalista por um delito de opinião, ainda que na minha opinião não tenha havido delito nenhum. Eu também não sei o que esperar de você, Gilmar. Vai me processar por divergir de você?".

Em 2016, na sessão que determinou a abertura do processo de impeachment contra Dilma Rousseff, o então deputado Jair Bolsonaro dedicou seu voto a favor da investigação ao coronel Carlos Alberto Brilhante Ustra, acusado de ter praticado e comandado torturas no regime militar. Boechat comentou: "Registre-se a infinita capacidade do deputado Jair Bolsonaro de atrair para si os holofotes falando barbaridades sucessivamente. (...) Torturadores não têm ideologia. Torturadores não têm lado.

Não são contra ou pró-impeachment. Torturadores são apenas torturadores. É o tipo humano mais baixo que a natureza pode conceber. São covardes, são assassinos e não mereceriam, em momento algum, serem citados como exemplo. Muito menos numa casa legislativa que carrega o apelido de Casa do Povo".

Mesmo no telejornal, com formato mais contido, a irreverência tinha assento na bancada. Em meio à Operação Lava-Jato, depois de uma reportagem em que políticos negavam em uníssono terem recebido dinheiro de empresas, ele pegou o telefone, simulou uma ligação para a mãe e perguntou se era ela quem recebia dinheiro das empreiteiras. "O noticiário político tem dia que deveria sair no 'Pânico', tem que ir pro humor, pra galhofa, porque não dá para levar a sério. Essa gente é muito cínica. Tá na prestação de contas deles", disse.

Em outros momentos memoráveis, Boechat apareceu de peruca no fim de uma reportagem sobre calvície; abriu um guarda-chuva ao anunciar a queda iminente de destroços de satélites; e botou em seu lugar um boneco após uma matéria sobre apresentadores robôs na TV chinesa. Na internet, gravou um vídeo convocando os idosos a se vacinarem contra a gripe, em que tirava a camisa para receber a vacina e aparecia de sutiã. "Vai, meu bem, espeta", disse para uma atônita enfermeira, pega de surpresa, a exemplo das demais pessoas no posto de saúde e nas redes sociais.

* * *

Ricardo Eugênio Boechat morreu no início da tarde de 11 de fevereiro de 2019, aos 66 anos, em um acidente de helicóptero na Rodovia

Anhanguera, em São Paulo. Ele havia participado de um evento do laboratório farmacêutico Libbs, em Campinas, e retornava para o heliponto da Band. O piloto Ronaldo Quattrucci também morreu. Milhares de pessoas passaram pelo velório no Museu da Imagem e do Som, a maioria anônimos íntimos, que formavam sua audiência. Gente simples, gente famosa, empresários, jornalistas. Houve carreatas e buzinaços de taxistas, categoria pela qual Boechat tinha um carinho especial.

Foram muitos os momentos de emoção no velório. Num deles, os taxistas colocaram sobre o caixão o "bigorrilho" – o letreiro luminoso do táxi – e Dona Mercedes comentou: "Agora, sim, é o caixão do meu filho. Nada contra o luxo, mas meu filho era uma pessoa simples, que tratava todos da mesma forma". A despeito da dor, ela encontrou forças para falar das homenagens:

– Ricardo ia ficar assombrado com a quantidade de gente que demonstrou carinho por ele, porque ele não fazia as coisas contando com recompensa. Fiquei de boca aberta com os depoimentos de pessoas de todas as classes sociais sobre o meu filho.

Mas ainda assim fez a ressalva:

– Tive sete filhos, seis filhos vivos, agora cinco. Todos são iguais. Tenho orgulho de todos. Quando me perguntam "a senhora é mãe do Boechat?", eu pergunto de volta: de qual deles? Porque todos têm peso igual no meu coração. Sou uma leoa como mãe, se tiver que defender qualquer um deles de uma injustiça, vou às últimas consequências. Tenho muito orgulho do homem que foi meu filho, honesto, correto, sincero, que falava com um faxineiro ou um mendigo com o mesmo carinho que falaria com outra pessoa. Era um homem, pelo que eu soube, que fazia a verdadeira caridade, sem demonstração, e tinha coração de ouro com humanos e animais. Sempre se colocava no lugar do sofredor, que é o que nos falta. Ele se condoía com o pai que tinha o filho moribundo, com os idosos maltratados, com as injustiças do dia a dia.

Na véspera de sua morte, Boechat conseguira algo raro e que lhe dava muito prazer: reunir os seis filhos. Passou o fim de semana com Beatriz, Rafael e Paula, filhos de seu casamento com Claudia Costa de Andrade; Patrícia, que teve com Ana Reis; e Valentina e Catarina, filhas de Veruska, com quem estava casado desde 2005.

Em seu último programa de rádio, horas antes de sua morte, ele protestou contra o papel da impunidade na sucessão de tragédias, como o rompimento da barragem de Brumadinho e o incêndio que matou dez jovens jogadores da divisão de base do Flamengo. "O que temos de colocar em cima da mesa, diante de nós mesmos, como sociedade, é se queremos continuar lidando com essas tragédias, pranteando-as no início e esquecendo-as logo depois. A tragédia de Brumadinho já sumiu das primeiras páginas", afirmou.

Foi seu último bom dia. Não teve boa noite. Na manhã seguinte, todos os que o acompanharam acordaram órfãos, mas foram confortados pelas palavras de Dona Mercedes.

– Li sobre o caso dos pais que perderam uma filha na boate Kiss. É um absurdo que nossa Justiça não seja justa, que não se dê valor à vida humana, que não se puna, que tudo seja um jogo, quando o ser humano não pode ser um peão de um tabuleiro de xadrez. O ser humano não pode ser reposto. Todos somos iguais, não há raça superior. O valor de um porteiro é o mesmo de um médico. Que não se maltrate pobres e desvalidos porque ganham salários miseráveis. Não vamos acabar com problemas sociais se não exigirmos o respeito que um povo tem que ter. Temos o direito ao respeito e não à caridade pública. Precisamos de hospitais que nos atendam com decência e de ensino em que as crianças aprendam de fato para poderem crescer. Temos muito o que aprender. Muito.

O desabafo era de Dona Mercedes, mas poderia ser de Ricardo Boechat.

RICARDO BOECHAT

HISTÓRIAS DE QUEM CONVIVEU E TRABALHOU COM ELE

Um pensador do jornalismo

ADRIANA BARSOTTI

Trabalhou com Boechat na sucursal do Rio do "Estado de S. Paulo", em 1988 e 1989, e depois em sua coluna no "Globo", entre 1993 e 1999

O telefone fixo da minha casa tocou. O ano era 1988, quando esta era a forma de comunicação pessoal mais ágil. Do outro lado da linha, estremeci ao ouvir a voz. Nada de secretária. Era o próprio Ricardo Boechat, à época diretor da sucursal do Rio de Janeiro do jornal "O Estado de S. Paulo". "Te espero na segunda-feira, às 11h", disse. Dois dias antes, eu fizera uma entrevista de estágio com ele. Era uma sexta-feira e tentei argumentar: "É que queria dar um tempo para o meu chefe me substituir aqui". Cursava o sétimo período de Comunicação Social da UFRJ e estava na editoria de política da "Tribuna da Imprensa", chefiada na época pelo querido Ramiro Alves. "Vem que vai ser melhor para você", decretou Boechat, sem dar margem a qualquer reação.

Lá fui eu na segunda, com todo o apoio do Ramiro, sem imaginar que estaria começando um aprendizado de jornalismo que professor algum jamais me transmitira. Meses depois, ele me chamou: "Você vai se formar mesmo no fim do ano?". "Sim, se você me der uma semana de folga para eu terminar meu TCC", ousei. Eu nem sequer tinha começado a minha monografia. Faltava-me tempo. Vivia no jornal, plenamente preenchida por aquela redação movida a paixão. "Fechado. Vou guardar a vaga que tenho para você", avisou Boechat. Foi assim que ele me deu meu primeiro emprego como jornalista e foi ali, no "Estadão", que eu conheci amigos de uma vida inteira.

Anos depois, nos reencontramos na redação de "O Globo", quando o Boechat me convidou para ser subeditora da sua coluna, que naquela época ainda se chamava "Swann", em homenagem ao personagem protagonista da obra-prima de Marcel Proust "Em busca do tempo perdido". Merecidamente, a coluna ganharia o nome dele em pouco tempo, deixando para trás uma marca que hoje vejo ter sido elitista diante das preocupações de atingir o leitor médio que sempre moveram o Boechat. Ali, na coluna, formamos um trio inseparável junto com a Angela de Rego Monteiro. "Driquinha" e "Monteirinho": era assim que ele nos chamava e continuou nos chamando. Depois, se juntou a nós a Rosangela Honor, querida amiga desde a redação do "Estadão". No dia da morte do Boechat, nós três passamos o dia relembrando suas histórias.

Nesse turbilhão de memórias que vieram à tona, faço questão de destacar duas que revelam sua enorme generosidade com a equipe. Boechat era obcecado por furos, era um cão farejador incansável. No início da noite, "vendíamos" para ele as notas que conseguíramos apurar ao longo do dia e ele fazia o filtro do que seria publicado. Nesse processo, quando desconfiava de algo, nos "torturava" com perguntas sobre a confiabilidade das fontes e exigia provas (longe de ser uma queixa, isso contribuiu enormemente para a minha formação profissional).

Em um dia de maio de 1996, "vendi" a grande história que apurara: descobrira que o então presidente da Líbia, Muammar Khadafi, fora operado sigilosamente por médicos brasileiros em Trípoli, para implante de cabelo, em outubro do ano anterior. Já tinha todas as comprovações necessárias e estava segura sobre a publicação. Mas Boechat não quis soltar a nota no dia seguinte. "Você garante a exclusividade até segunda?", questionou. "Posso combinar isso com a fonte", respondi, a princípio sem entender a razão para o adiamento. "Domingo é o seu plantão e você vai dar o furo na coluna de segunda-feira, assinada por você", explicou. E assim foi: no dia 20 de maio, a nota saiu publicada sob o título "Médicos brasileiros operam Khadafi", com duas fotos: a do presidente antes da cirurgia e depois com o chefe da equipe, o médico Munir Miguel Curi, que implantou três mil fios de cabelo, em duas sessões em que Khadafi recebeu anestesia local.

Naquele mesmo ano, Boechat me cedera durante dois meses para integrar a equipe de apuração da reportagem "A história secreta da Guerrilha do Araguaia", ao lado de Aziz Filho, Consuelo Dieguez, Amaury Ribeiro Jr. e Cid Benjamin, que ganharia o Prêmio Esso de Jornalismo em 1996. Trabalhou ferozmente com a equipe reduzida na coluna, pois percebera que ali havia uma grande história a ser revelada. Não hesitou em abrir mão de uma de suas subeditoras quando o editor de política de "O Globo" à época, Ramiro Alves (sim, o mesmo do início deste texto), lhe fez o pedido. "Você vai para a Nacional a partir de amanhã. Estão com uma história boa envolvendo a atuação do Exército na ditadura. Fale com o Ramiro". Mais uma vez, juntos, Boechat e Ramiro ajudavam a construir meu currículo e minha paixão pelo jornalismo investigativo.

Pela quantidade de mensagens de apoio que recebi no dia de sua morte e nos subsequentes, me dei conta de que passei a vida elogiando o mestre Boechat. E, na imensa tristeza em que eu estava com a tragédia que o vitimou precocemente, essas pessoas me encheram de alegria porque me fizeram perceber que sempre fui agradecida a ele. Sempre dei todos os créditos. E, mesmo longe, ele vai continuar preenchendo minhas aulas de jornalismo. Todo semestre, exibo seus vídeos e áudios aos que estão apenas começando nessa carreira que tanto nos encantou e encanta. Em um dos vídeos, Boechat está no braço do Cristo Redentor, de onde fez uma transmissão ao vivo e cantou "Emoções", do Roberto Carlos. Ele era assim: emoção e razão como requer a prática jornalística.

Era também um pensador vivo do jornalismo. Já era evidente para mim, mas ficou mais ainda na entrevista que me deu, por telefone, para a tese de doutorado, que depois virou o livro "Uma história da primeira página: do grito ao silêncio no jornalismo em rede". No último e-mail trocado entre nós, ele me deu autorização para a divulgação do conteúdo, uma formalidade exigida pela editora. Relendo o diálogo, vejo que confirma sua independência editorial, uma de suas características mais marcantes. Era um anarquista, como gostava de dizer. Em um dos e-mails, eu externava algumas preocupações acadêmicas sobre usar ou não os palavrões que ele dissera na entrevista. Sua resposta: "Quer manter os palavrões? Pode manter... Quer suprimi-los? Também pode... Mostre-me um monge, se for preciso. Sempre quis ser um...", devolveu ele, me fazendo rir como sempre.

Boechat era um âncora de rádio e TV que sabia usar com maestria as redes sociais e estava profundamente conectado com as transformações no cenário de mídia. O jornalismo era a sua paixão, não importando a forma como chegaria ao leitor, ouvinte, telespectador ou usuário, embora tivesse me confidenciado, assim que foi para a rádio, sua sedução pelo meio. Na entrevista, eu estava interessada em saber como enxergava o enfraquecimento de *home pages*, cujas audiências vêm caindo no mundo todo, à medida que os hábitos de leitura estão cada vez mais fragmentados com a emergência das redes sociais e a busca do Google como portas de entrada para a leitura de notícias.

"Você faz lá uma primeira página que você acha que é a ideal: um quinto de bunda de gostosa, dois terços ou um quinto de cultura, economia, o acidente, o menino de 10 anos que morreu. Isso aqui é a minha *home*", afirmou, refletindo sobre o processo de edição, que requer do jornalista um mix de notícias entre as diversas editorias. "Mas posso botar lá um botão para o cara mexer e dizer que não é nada disso, porque é compreensível que o produto fechado que você entrega para ele não atenda a 100% das pessoas. É preciso agilizar a forma de privilegiar essa exposição que muda de acordo com os interesses de cada pessoa. As pessoas estão fazendo os seus próprios jornais na internet, o que é muito bom". Boechat estava reconhecendo ali os limites da autoridade do jornalista em ambientes digitais, que permitem que os usuários tracem seus próprios caminhos, independentemente do julgamento do editor.

Emergiu na resposta o Boechat de sempre: orientado para o público, e não para o umbigo. Achei que não fosse conseguir entrar em sala de aula no dia seguinte à sua morte, mas dividi com os alunos a minha tristeza e o meu reconhecimento eterno a ele. Continuo mostrando nas aulas como ele era um teórico do jornalismo sem sê-lo. E lembro que o Boechat, obstinado incessantemente pela notícia, detestaria saber que o chamo assim.

Pura vocação

ALUIZIO MARANHÃO

Em 1969, fez com Boechat um curso no "Jornal do Brasil" e, entre 1987 e 1989, dividiu com ele a chefia da sucursal carioca do "Estadão", onde ganharam o Prêmio Esso de Reportagem, ao lado de Suely Caldas e Luiz Guilhermino

Não foi preciso muito tempo de convívio com Ricardo Boechat para perceber que a voltagem dele era mais alta que a média. Rápido de raciocínio, inquieto, boa gente.

Estávamos no fim de 1969, tempos difíceis, mas que, para nós, jovens na faixa de 18 a 20 anos de idade, também eram repletos de expectativas. Para um aspirante a jornalista profissional – Ricardo já tinha uma experiência no "Diário de Notícias" –, ser escolhido para fazer o curso do "JB" era um passo grande nessa direção. Fernando Gabeira, editor de Pesquisa, coordenava o curso, no qual passavam editores, repórteres e colunistas. Funcionava como entrevista coletiva – tínhamos de "bater" a matéria depois. Gabeira já havia caído na clandestinidade, ficando em seu lugar Roberto Quintaes.

O jornal consolidava uma reforma gráfica histórica e adotava técnicas modernas de gestão. Como esta do curso para quem quisesse ser repórter. A profissão de jornalista havia acabado de ser regulamentada, prevendo que quem já estivesse nas redações ou em processo de contratação pudesse trabalhar sem a necessidade de diploma, ganhando um tempo para obtê-lo. Nosso caso.

Foi assim que conheci Boechat. Nunca convivemos muito, mas tínhamos aquele relacionamento de velhos companheiros da mesma geração. No fim da década de 1980, trabalharíamos juntos, dividindo a chefia da sucursal carioca do jornal "O Estado de S. Paulo", no tempo em que Augusto Nunes era o diretor de redação.

Aquela primeira impressão ao conhecê-lo na antiga sede do "JB", na Avenida Rio Branco, se consolidaria. Ricardo não ficou no "Jornal do Brasil", mas foi se adestrando na sua enorme capacidade de apurar notícias.

Esteve numa escola especial: trabalhou para a coluna de Ibrahim Sued, um "puta velha" – no jargão das redações, um termo respeitoso para designar um profissional maduro e experiente. Pelo Turco, como Ibrahim era chamado, já havia passado Elio Gaspari, hoje colunista consagrado que não se cansa de apurar notícias.

Durante um período, Ricardo trabalhou como assessor de imprensa ou secretário de comunicação, como o cargo é chamado na área pública. Foi com Wellington Moreira Franco para a Prefeitura de Niterói e também o acompanhou no governo do Rio de Janeiro.

O poder de atração que a reportagem sempre exerceu sobre Ricardo não deixou que ele permanecesse fora das redações.

Ser da coluna do "Swann", no "Globo", serviu para Boechat se consolidar no ofício que é a essência do jornalismo, o de repórter. Batizada com o nome do personagem de Proust, a coluna teve responsáveis que deixaram lá seu estilo – por exemplo, Carlos Leonam. Mas, quando o jornal aposentou a marca Swann, colocou no lugar dela o nome de Ricardo Boechat.

Nada mais adequado. Ao trabalharmos juntos, afinal, a partir de

1988, na sucursal carioca do "Estadão", acompanhei de perto a enorme capacidade de apuração, diretamente proporcional ao grande e diversificado leque de fontes.

No "Globo", o colunista já havia feito reportagens e participado de coberturas importantes, paralelamente ao seu trabalho do dia a dia, de apurar e escrever notas para seu espaço.

O "Estadão" ganhou em 1989 o Prêmio Esso de Reportagem, de denúncia de um esquema de corrupção na BR Distribuidora. Boechat, Suely Caldas, Luiz Guilhermino e eu rastreamos e publicamos várias matérias sobre falcatruas na subsidiária da Petrobras.

Eu ficava em um "aquário" na redação da sucursal, com quem tinha mais contato na operação do dia a dia, e Ricardo, em uma sala que já havia sido de Villas-Bôas Corrêa. Como sempre, no telefone, apurando.

Ter sido secretário de comunicação de Moreira Franco, de quem era amigo, não havia atenuado nele a vocação de caçador de notícia. Parecia que tinha funcionado ao contrário.

De volta à coluna no "Globo", chamado por Evandro Carlos de Andrade, Ricardo se mantivera na rotina de garimpeiro de notícias, algumas das quais ajudavam na cobertura de reportagens.

Aquela impressão de fins de 1969, início de 70, no velho prédio do "JB", na Avenida Rio Branco, há tempos ele já confirmara em sua coluna. Mas não imaginava que Ricardo também seria brilhante no rádio e na TV. A ida para a Band acrescentou esta faceta multimídia a um dos perfis de jornalista mais completos dos que conheci.

Jornalismo não é profissão, é ofício. A carreira, se existe, é incerta. Não há ascensão permanente, mas existe a necessidade de aprimoramento e dedicação constantes. Boechat serve de exemplo.

Meu malvado favorito

ANA CLÁUDIA GUIMARÃES

Foi da coluna de Boechat no "Globo" entre 1998 e 2001

"Princesinha, você chora? Eu não aguento mulher que chora. Isso aqui não é para você", disse-me Ricardo Boechat, nos idos dos anos 1990, quando eu pleiteava trabalhar em sua coluna em "O Globo", uma das mais prestigiadas do país. Na época, eu estava com 20 e poucos anos, tinha entrado no jornal há pouco tempo e escrevia sobre... moda para os cadernos dos jornais de bairro. Eu respondi: "Choro no banheiro. Me dá uma chance. Eu sirvo seu cafezinho, limpo seu sapato, e você me ensina a ser uma boa jornalista". E ele, para minha surpresa, topou. Não sei quem era mais maluco. Ele por topar ou eu por pedir. Não tinha ideia do que estava por vir e que ficaria trabalhando em coluna de notícias até hoje.

Boechat, gigante do jornalismo, já fazia história e incomodava muita gente. Recebia faxes (é... naquela época não havia e-mail) ameaçadores. Mas não se curvava. Certa vez, depois de chegar um bilhete afrontoso de um político, pegou a caneta, escreveu por cima das palavras do todo--poderoso e devolveu. Não temia represálias. A indignação lhe servia de mola propulsora. Outra vez, viajou e, nesse período, a Justiça concedeu direito de resposta a um político dentro da coluna – caso Boechat não desse, seria preso ao pisar no país. Depois de muita negociação com advogados, o diretor de redação conseguiu que saísse uma resposta menor do tal político. Mas, ao chegar ao Brasil, Boechat pulou. Disse que preferia ser preso, que seria uma honra ir para a cadeia a mando do "tal sem-vergonha". Nós ríamos dessa irreverência.

Ele era assim. Sem medida. Doce e amargo. Esse chefe me fez rir muito e chorar na mesma proporção. Trabalhava, trabalhava, trabalhava sem parar. Até a coluna ficar – em sua visão – perfeita. Boechat não tinha limite para isso. De vez em quando, ficava reescrevendo uma única nota durante muito tempo. Às vezes, cismava com legendas e até com a Zona Franca (espaço para publicarmos agenda do tipo peças de teatro, shows...). Quando eu comecei na coluna, na vaga deixada pela jornalista Rosangela Honor, que havia mudado de editoria, ele não me disse o que fazer e não deu mole. Trabalhei ao lado de Adriana Barsotti, amiga que me acalmava quando a coisa ficava feia demais para o meu lado. Para tentar fazer fontes, eu chegava às 9h, ou mesmo às 8h (o horário de entrada era às 14h) e sempre saía no mínimo às 22h, depois do fechamento.

Boechat sempre dizia: "Eu quero sangue, o leitor quer notícias quentes!". Quando eu aparecia diante dele com uma informação que achava interessante, sabe qual era a resposta? "Aninha, interessante é o cu do elefante! Vá procurar notícias!". Quando escrevia sobre informações científicas, por exemplo, ele vociferava: "A dona de casa da Tijuca tem que entender o que está sendo escrito, e não apenas os cientistas!". Não, o Boechat não era um homem preconceituoso. Gostava de conversar com todos – falava com famosos e com desconhecidos, taxistas, ministros, cientistas, pintores, professores, pedreiros, sem fazer diferença. E, na marra, aprendi com ele quase tudo o que eu sei da profissão. Nunca aceitou um "não consegui apurar". Dizia: "Quero notícia boa. Se você tiver uma notícia contra a minha mãe *(a querida Dona Mercedes)*, pode me passar, que eu vou publicar. Você tem que aprender que você é jornalista e, se tiver uma boa informação nas mãos, mesmo que seja contra a sua mãe, tem obrigação de publicar". Uma vez, rompi o ligamento do tornozelo. Depois de pouco mais de uma semana em casa, ele me telefonou: "Aninha, você é jornalista ou jogadora de basquete? Volte ao trabalho e ponha o pé pra cima".

Hoje, entendo a pressa dele em me fazer aprender. Sofri, pedi para sair da coluna, e menos de um ano depois voltei. Chorei no banheiro e nos ombros dos amigos. Mas me diverti (e aprendi) muito ao lado dele e da equipe também – depois de Adriana Barsotti, trabalhei com Ronaldo Herdy e Angela de Rego Monteiro.

Tenho uma história ótima: uma vez, descobri que um artista muito famoso, casado com mulher, deu uma entrevista para o "El País" dizendo que tivera uma experiência homossexual. Lembro-me do Boechat aos berros atrás de mim na redação: "Presta atenção, princesinha, você está dizendo que ele deu o cu. Você tem certeza?". Mas eu já havia levado tantas broncas que não apenas tinha certeza, como também tinha uma cópia da reportagem que sairia em poucos dias no jornal espanhol.

Entre suas inúmeras histórias vividas em "O Globo", são inesquecíveis a dos sapatos jogados quando algum alarme de incêndio tocava perturbando a apuração; a do desfile que fez na redação usando por cima da roupa uma sunga vermelha que acabara de ganhar; a das cartas enviadas de todas as partes do país de mulheres apaixonadas por ele; a do saquinho de balas que comprava num bar da esquina e distribuía; a dos cigarros (proibidos na redação) fumados por ele embaixo da sua mesa. Parece que ainda o vejo abanando a fumaça.

Boechat se divertia no ofício. Amava o Rio, as obras de arte, o meio ambiente, os filhos, a família. Não se negava a dar crédito aos repórteres nem a ninguém. Apertava (no sentido figurado, claro) todo mundo que trabalhava com ele para conseguir extrair o melhor. Depois das broncas, sempre em tom elevado, ele se aquietava e voltava ao normal, como se nada tivesse ocorrido. Boechat era um chefe generoso, apaixonado pela profissão e pronto a ensinar. Ao sair do jornal, me presenteou com o seu caderno preto com telefones de suas fontes (não me lembro o motivo). Ele dizia que quem tinha fontes tinha tudo.

Quando o Ancelmo Gois entrou em seu lugar em "O Globo", Boechat foi almoçar com o colega. Segundo o próprio Ancelmo, Boechat pediu por cada um de nós da equipe. Pediu que nos preservasse e contou as qualidades de cada um. O pai de Rafa, Bia, Paula, Patrícia, Valentina e Catarina, casado com "a doce Veruska", filho de dona Mercedes, era assim. Controverso. Muitos homens em um só. Dono de uma genialidade e um coração gigantes. O tempo voou. E ele nos deixou cedo demais. Com sua partida, a vida ficou mais sem graça. Para mim, Boechat foi mais do que um mentor. Foi um amigo que me deu a oportunidade de aprender e ter experiências únicas.

ANDRÉ HIPPERTT

Trabalhou com Boechat no "Globo" de 1985 a 1995 e desenhou sua coluna no "Dia" em 2006

As histórias de Hippertt e Boechat tiveram alguns pontos de interseção ao longo da vida. Embora com dez anos de diferença, os dois foram criados em Niterói, estudaram na mesma escola – Centro Educacional de Niterói – e se encontraram no "Globo" nos anos 1980. Boechat já era um jornalista consagrado e mostrava um carinho especial pela equipe de arte do jornal; Hippertt, um desenhista em início de carreira, que chegou a ter algumas caricaturas publicadas na coluna "Swann". O caminho deles voltaria a se cruzar em "O Dia", quando Hippertt era o editor de arte e foi o responsável pelo projeto gráfico da última coluna que Boechat assinou em jornais, mantida até 2008.

HiP
P3R
TT

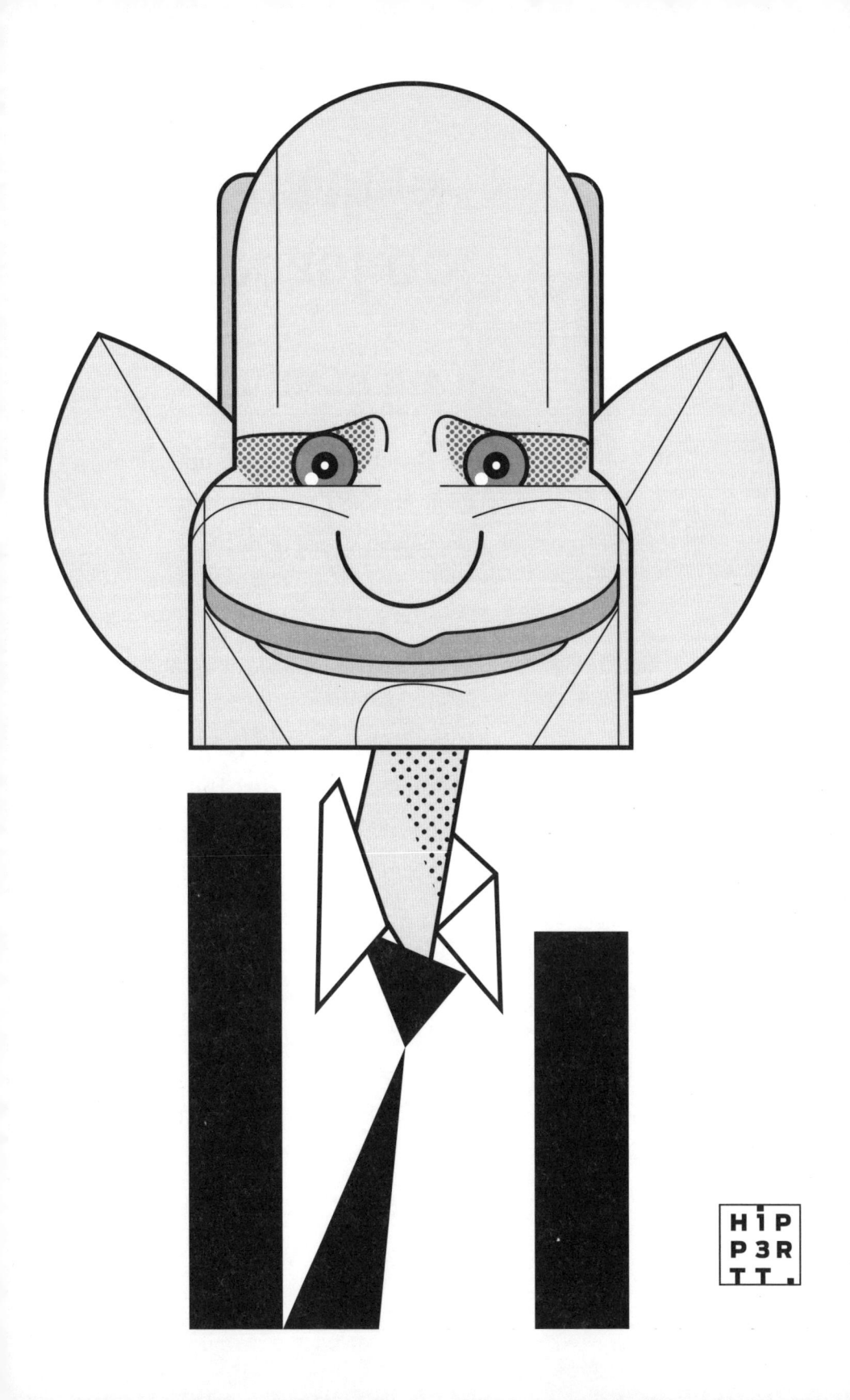

O urso panda do jornalismo

ANCELMO GOIS

Conviveu com Boechat no "JB" por um breve período em 1987 e o substituiu na coluna do "Globo", a partir de 2001

Jornalistas como Ricardo Boechat, a exemplo do urso panda chinês, são espécies raras, em vias de extinção.

O urso, como se sabe, é muito querido, como foi nosso saudoso coleguinha. A diferença entre os dois começa uma vez que Boechat, ao contrário do mamífero, não era nada pacífico, mas um brigão, uma explosão permanente de tapas e beijos. Um temperamento daqueles que iam do desaforo a um pedido de desculpas em questão de minutos.

Boechat, voltando ao urso, era uma espécie rara, porque o jornalismo que se faz hoje na imprensa tradicional (não falo das redes sociais, recheadas de idiotas e bárbaros) exige padrões, para usar uma expressão da moda, politicamente corretos, coisa para moços de fino trato. E nosso amigo não tinha papas na língua. O tesão, a dedicação pela notícia, a forma quase fanática como encarava a profissão e o envolvimento emocional com muitos dos fatos relatados – outras marcas do nosso herói – hoje também são mais raros.

Fico aqui, até para não repetir muito a fala de outros colegas sobre Boechat, com dois aspectos da sua vida: o colunista e o inovador. Boechat não tinha a elegância no texto de um Jacinto de Thormes ou de um Zózimo. Mas, junto com este último e com Ibrahim Sued, fez uma revolução. O trio foi responsável por uma importante transposição: do colunismo social de vaidades, que exaltava os bem-nascidos e celebrava – como se notícia fosse – uma simples festa de 15 anos, para um colunismo de notas variadas, onde há espaço para informações relevantes, sem jamais perder o humor.

Inúmeras vezes a notícia mais importante do dia não estava na primeira página de "O Globo" e sim, internamente, na coluna do Boechat. Sua dedicação em busca de novidades – que o fez um dos maiores colecionadores de prêmios da história do jornalismo brasileiro – levou alguns amigos a inventarem que ele tinha até calo na orelha de tanto ficar pendurado ao telefone, à cata de informações.

Do outro Boechat, o inovador, eu também morro de inveja. O mundo digital promove uma revolução por minuto, maior, acho, do que a Revolução Industrial do início do século XVIII, na Inglaterra, com a mecanização dos sistemas de produção. Hoje, o mercado de trabalho passa por um furacão. Profissões desaparecem e outras perdem vagas e importância. Nesse redemoinho, o colunista de notas Boechat, já com a cabeça careca por conta dos anos, soube se reinventar. E isso não é fácil, embora cada vez mais necessário neste mundo moderno. Como apresentador de telejornal, ele deu conta do recado. E, finalmente, foi um gigante do rádio. Acho que nem ele sabia que era tão bom assim com o rádio popular. Mostrou que nunca é tarde para recomeçar, inclusive, em outras áreas. Deixou, portanto, uma lição para os agoniados (eu e a torcida do Flamengo!) com o futuro do mercado de trabalho: não desista. Até porque quem fica parado é poste.

    Boechat foi um amigo querido.

Boechat, único!

ANGELA DE REGO MONTEIRO

Foi quem mais tempo ficou ao lado de Boechat em sua coluna no "Globo", até 2001

Não é fácil resumir em algumas linhas o que foi meu convívio com Ricardo Eugênio Boechat. Às quase duas décadas na redação, somam-se outras duas de uma amizade fraterna, intensa, pautada pela cumplicidade e pela total sintonia.

Mesmo morando em cidades diferentes, nunca nos perdemos de vista e nos falávamos sempre. Aliás, a última conversa foi três dias antes do acidente fatal, quando Boechat se queixou de eu não o ter procurado em minha última ida a São Paulo:

– Monteirinho, puxa vida, você esteve aqui e a gente nem se viu?

– Boechat, você sabe que, em São Paulo, sou avó em tempo integral e, com isso, restam pouco tempo e ínfimas energias para qualquer outra atividade.

– Tá, lambe a cria, mas não me abandone, Monteirinho, não me abandone!

– Nunca, Boechat, nunca, prometo!

Esse foi nosso último diálogo.

O princípio

– Você tem fontes?

– Não, não tenho fontes. Apenas amigos, muitos. Nunca trabalhei em coluna, nem em jornalismo de *hard news*. Até hoje, estive ligada ao jornalismo feminino, à moda, e só. Por esse motivo, aceitei esse convite para conversarmos e fiquei feliz pela Ramalho ter indicado meu nome. Quero apagar esse rótulo de "jornalista de moda". Quero dar uma guinada na carreira.

– Ótimo, adorei! Vamos juntos nessa guinada. Você pode começar amanhã?

Esse foi o meu primeiro diálogo com Ricardo Boechat, no cafezinho da redação do "Globo", em idos de 1989. E aqui, quero logo registrar minha gratidão à amiga de sempre, Anna Ramalho, por ter sugerido meu nome. A ela devo os melhores anos de minha vida profissional!

Os primeiros dias foram surpreendentes. A cada minuto, uma revelação, um susto. Para começar, a redação tinha sido informatizada há pouco e "O Globo" contava com uma professora, a paciente Marli, para nos introduzir ao sistema. Mas, para tal, o editor tinha que agendar.

Conforme combinado, no dia seguinte à conversa, fui trabalhar. Fiquei totalmente apatetada diante do computador, sem saber como começar. Vendo-me paralisada, Boechat coçou a cabeça e confessou:

– Chi, esqueci de falar com a "teacher" (como ele carinhosamente chamava a Marli). Vai se virando, Monteirinho – ocasião em que introduziu a maneira como sempre me chamou.

E lá fui eu.

Confiando em Deus e na sorte, ao final do terceiro dia, já me dava bem com o sistema.

Também foi ao final desse dia que, assustada com uma cena, tomei uma medida suicida. Como moro em Laranjeiras, Boechat pegava carona comigo e descia na minha esquina, onde seguia num táxi para o Leblon. Nesse curto trajeto, tive tempo suficiente para desabafar e comentar, assustada, o episódio daquela tarde:

– Boechat, sou contra a postura que você teve hoje, a maneira como você tratou nossa colega. Estou começando, eu sei, mas quero deixar bem claro. Comigo, por favor, jamais fale daquele modo. Não haverá segunda chance. Se isso ocorrer, não volto no dia seguinte.

Não sei se o aviso deu certo. Mas Boechat, que volta e meia perdia a cabeça e a noção de limites, sempre me tratou da melhor maneira. Se por um lado era extremamente exigente, por outro, reconhecia com entusiasmo e orgulho os gols do seu time.

Em menos de duas semanas, ao chegar ao jornal e abrir meu terminal, encontrei uma mensagem:

– Monteirinho, em mais de dez anos de coluna, isso nunca aconteceu. Das 17 notas publicadas hoje, 14 foram apuradas por você e são de sua autoria. Meus parabéns. Continue!

E assim, nesse clima que mesclava cobrança, alto nível de adrenalina, alguns raros momentos de descontração, mas muita, muita sintonia, vivi meus primeiros anos com o Boechat.

O meio

Além do ritmo frenético comum às redações daquela época, a coluna tinha as suas peculiaridades. Primeiro porque Boechat era perfeccionista. Muitas vezes, uma simples nota de Zona Franca, espaço onde registrávamos, em duas linhas no máximo, pedidos de assessores, como lançamentos de livros, shows etc. Boechat reescrevia o texto mais de uma centena de vezes. Imagine as demais notícias... Outro ponto, o que, aliás, muito nos envaidecia, era o alto nível da coluna. Só valia notícia de tirar o fôlego, capaz de alterar os rumos do país ou balançar a Bolsa de Valores. E, convenhamos, não é todo dia que um ministro cai ou o preço da gasolina sobe. Mas, para Boechat, isso não importava. E nós corríamos atrás.

Tudo isso, ao final de alguns anos, me levou a uma série de problemas, que incluíram muito estresse, cansaço excessivo e uma grave cirurgia no pulmão.

Estimulada por colegas que haviam trocado a redação por assessorias, onde o padrão de vida era bem melhor, aceitei o convite da Giovanni, FCB, agência de publicidade do comunicador Paulo Giovanni, que tinha acabado de se unir a uma multinacional americana. Atraída pelo salário, pela perspectiva de uma vida mais normal e por outros tantos benefícios, participei minha decisão ao Boechat. Ele ouviu tudo, sem dizer nada, apenas pegou o telefone e ligou para o Giovanni:

– Tudo bem, Giovanni? Quer dizer que você me tira meu braço direito, meu braço esquerdo e meu pau? E agora? O que será de mim?

O fim

Vivi na Giovanni experiências inéditas, tais como almoçar, voltar para casa ainda à luz do dia, não trabalhar fins de semana e ainda, de quebra, poder visitar minha filha, que estudava nos Estados Unidos, quatro vezes por ano, viajando de primeira classe. Tudo patrocinado pela agência, da qual guardo belas recordações.

Porém, todo jornalista é, acima de tudo, um doente. E ao final de um ano, já estava sentindo falta da histeria do fechamento, da exigência do Boechat e, sobretudo, do que era participar do espaço que pautava os telejornais e os jornais do dia seguinte. Mas, como o orgulho não dá folga, não iria jamais ligar para ele pedindo para voltar, embora fosse tudo que eu queria naquele momento. Como já disse, no entanto, Deus está sempre comigo. Uma tarde, ao chegar ao hotel em Nova Orleans, onde estava com minha filha, encontro um recado na recepção: "Favor telefonar para Ricardo Boechat no Brasil". Receosa que houvesse acontecido algo sério, liguei:

– Monteirinho, você ainda não cansou dessa vida de dondoca? Por favor, volta. Não consigo viver sem você!!!

Era tudo que eu sonhava!

Assim mesmo, não perdi a cartada e, sabendo que dias após a minha saída do "Globo", em 1995, havia sido implantada uma previdência privada para os funcionários, dei uma de jogadora de pôquer e paguei para ver:

– Podemos conversar, sim, Boechat. Mas só volto para "O Globo" se você conseguir que eu tenha direito a essa previdência que foi criada, e retroativa a todos os anos que trabalhei na casa – um parêntese, eu comecei no "Globo" em 1967. Eram, portanto, muitos anos.

– Tudo bem, Monteirinho, como não entendo nada de burocracia, vou conversar com a chefia e te dou uma resposta. Quando é que você volta para o Brasil?

– Depois de amanhã, Boechat.

– Combinado, vou à sua casa depois de amanhã à noite.

Dois dias depois, Boechat veio me ver:

– Monteirinho, chuta o balde e volta. Consegui tudo que você queria!

No dia seguinte, fui à Giovanni, agradeci pelos tempos maravilhosos e, carinhosamente, eles me responderam através de uma mensagem aberta a todos os funcionários: "Nossa querida Angela vai nos deixar. Volta para o seu lugar cativo: a coluna do Boechat. Sucesso, amiga, e obrigado por tudo".

E voltei à correria, à azia no final da tarde, ao desespero pela falta de notícia boa às 22 horas e a cada vez mais crescente exigência do Boechat. Mas como gostava!

No meio de todo aquele frenesi, havia também muitas risadas. Uma noite, entusiasmado com a estreia na TV, onde iria participar do "Bom dia Brasil", Boechat teria que ir à Globo para um teste de imagem. Enquanto fechávamos, ludibriávamos a fome comendo pipoca. E eis que Boechat quebrou o dente da frente! Fiquei desesperada, por já ser tarde e dificilmente encontrar algum dentista de prontidão. No entanto, notei que ele não se abateu. Deixou o dente sobre a mesa e, desdentado, desceu até o boteco da esquina e comprou um pacote de chicletes. Com a habilidade manual que tinha, moldou e colou o dente com a goma de mascar. Bingo! E lá foi Boechat todo confiante e sorridente para o teste!

Esse era o Boechat! Despojado, inesperado, generoso, ético, amigo, irreverente, brincalhão, ah, e peladeiro convicto. Por falar nisso, às quartas-feiras, eu ficava aguardando, ansiosa, o telefonema do Sergio Pugliese, encarregado de convocá-lo. Era o único dia em que Boechat abria mão do fechamento e saía mais cedo. Ufa! Era também o único jeito que eu tinha de ir para casa num horário decente. Assim que ele partia para o jogo, eu baixava a coluna e pronto! Dever cumprido!

E assim vivemos até uma sexta-feira de junho de 2001, quando Boechat deixou a redação do "Globo". Terminou ali a fase mais rica e feliz de minha trajetória de 40 anos de redação.

Ter trabalhado com Ricardo Boechat foi um prêmio. Era um gênio, um doido, o melhor e, para mim, muito mais que um amigo, um irmão. Orgulho por ter sido sua Monteirinho!

Inesquecível! Imortal!

ANNA RAMALHO

Trabalhou com Boechat de 1983 a 1986 na coluna "Swann", no "Globo", e depois quando ele retornou ao jornal em 1989, ficando até 1990

Tem chovido com som e fúria no Rio de Janeiro nesses últimos meses. Cada vez que desaba um toró desses, me lembro do Boechat – e não apenas pela falta que sinto, como milhares de cariocas e brasileiros, da sua voz tão linda e potente, esculachando o prefeito (?) Marcelo Crivella. Lembro pelos muitos temporais que atravessamos juntos – literal e figurativamente. E de tantos e tão iluminados dias que passei ao seu lado, convivendo com sua inteligência rápida e criativa, num tempo em que o jornalismo ainda se fazia com um certo romantismo e sempre um enorme ideal.

Éramos idealistas, ambos, tínhamos que ser. Quando conheci Boechat, bem no início dos anos 1980, éramos muito duros. Ele ainda mais do que eu, que naquele momento estava passando por um momento mais grave de grana porque acabara de me separar e, no espaço de um ano, perder minha mãe, que me quebrava os galhos mais variados. Boechat já tinha ex-mulher e três filhos, o mês inevitavelmente acabava muito antes do dia 30, e tinha que se virar, o que fez muito bem atuando como marchand informal. Ganhou um bom dinheiro com isso, mas era uma luta diária pra defender o leite das crianças. Dia desses, em papo virtual com o Rodolfo Schneider, pontuava: "Nós ficamos com os extremos: eu testemunhei o começo, a dureza para se impor na trajetória; você pegou o *gran finale*, com suas glórias e, então, esse desfecho inesperado, injusto, idiota, cruel."

Prefiro a parte que me coube. Foi muito divertida, ainda que tenha certeza de que diversão não faltou a quem acompanhou Ricardo Boechat até o final. Ele era divertidíssimo. Um cara sempre simples, de bem com a vida, amoroso, fiel e leal aos amigos, zero de deslumbramento, zero de estrelismo. Sinto um alívio grande e, como sou da Fé, agradeço a Deus que ele possa ter vivido seus últimos anos faturando salários e contratos à altura do prestígio que conferiu a seus patrões. Boechat morreu grife de luxo, sua morte foi chorada do Oiapoque ao Chuí, acho que nem ele tinha ideia do tamanho da sua popularidade e cacife. Morreu feliz também por, afinal, depois de tanta luta, ter conseguido não apenas o lugar que lhe era devido na ribalta, como o amor que chegou, avassalador, na bela figura da Doce Veruska, que lhe deu as duas últimas estrelas da sua constelação de filhos, Valentina e Catarina. Ninguém amava mulher, filhos e família num todo como Ricardo Boechat. Era devotadíssimo à mãe – a grande Mercedes Carrascal –, aos muitos irmãos, sobrinhos, contraparentes, afilhados. Era amigo para todas as horas de quem tinha a sorte de tê-lo como amigo, sempre atento, sempre pronto a ajudar, a dar o ombro. Sou testemunha e dou fé.

Lembro do dia em que o encontrei num baile de carnaval do Copacabana Palace. Coisa que seria impensável no tempo em que trabalhamos juntos na coluna "Swann", quando nem smoking ele tinha – e não queria a fatiota nem de aluguel. Nessas horas, batia forte a lembrança do pai falecido, comunista histórico, o que o fazia odiar essas funções sociais que empurrava para mim (naquela época, as colunas ainda cobriam os eventos do *society*). Não lembro em que ano foi esse encontro, mas ele já estava com a Veruska. Diante do meu espanto ao vê-lo na beca, veio a resposta: "Com uma mulher dessas, 30 e poucos anos, bonita e gostosa, dá pra eu dizer que não vou usar black tie?". E lá seguiu ele no baile, desfilando sua linda mulher pelos salões do Copa. Sem reclamar.

Juntos, vivemos momentos tensos. Boechat era um chefe implacável na perseguição do furo e não dava descanso a sua equipe. Que, por muitos anos, limitou-se a mim. Ele chamava um, chamava outro, implicava com todos e depois relatava a Henrique Caban ou ao Evandro Carlos de Andrade – nossos chefes supremos – que eu é que não gostava das criaturas. Era a grande desculpa. Um dia, aceitou a indicação que fiz e viveu para sempre feliz em "O Globo" com a Angela de Rego Monteiro, que lá continuou, quando, enfim, eu resolvi mudar de ares e aceitar o convite de Zózimo Barrozo do Amaral para integrar sua equipe no "Jornal do Brasil".

Não vivi com Boechat seu momento fatal em "O Globo" e só por isso dou graças a Deus. Uma história até hoje muito mal contada e que sempre me faz lembrar daquele ditado muito vulgar, mas muito verdadeiro, de que A INVEJA É UMA MERDA. Naquela redação, naquele tempo, ninguém foi mais invejado do que Ricardo Boechat. Em tudo e por tudo.

Não vivi esse; vivi outros muito mais importantes e divertidos momentos, como, por exemplo, quando ele conseguiu – pelo mérito profissional que sempre teve – que a vetusta coluna "Swann" (que começara como "Coluna Carlos Swann", na década de 1960, sob a batuta de Álvaro Americano, que nem jornalista era) passasse a ter o nome "Ricardo Boechat" e seu rosto no alto, em destaque. Imediatamente, ele conseguiu que eu também assinasse a coluna como interina, fato inédito naquela redação – tanto pela assinatura em si, quanto por ser a de uma mulher. Evandro Carlos de Andrade foi um dos maiores jornalistas deste país, mas a redação que comandava era tremendamente machista. Mulher só podia escrever sobre moda e futilidades ou aquela coluna social dos chazinhos, coquetéis e biribinhas. *Hard news* era coisa pra macho. Só na década de 1990, com a chegada de Miriam Leitão como titular de coluna, é que a coisa mudou.

Nesses tempos de tanta chuva e tragédias na nossa cidade – dias antes de sua morte, o Rio fora mais uma vez alagado e castigado – lembro de um episódio hilário que passamos juntos. Foi no fim dos anos 80 e ele vivia, então, com uma moça totalmente desequilibrada. Mesmo. Maluca beleza. Desabou um toró com intensidade impressionante e nós dois presos na redação da Rua Irineu Marinho. Com os telefones, que já eram precários, praticamente em pane total, dispúnhamos das opções de dormir no jornal, como tantos colegas, ou enfrentar a tormenta. Eu morava na Barra da Tijuca, meu filho tinha 11 anos; ele tinha a patroa pra prestar contas. Resolvemos encarar a tempestade. Ele não possuía carro nessa época. Eu era dona de um Opala Diplomata, que comprara de segunda mão do doutor Ricardo Marinho, um dos diretores do jornal. Era um carro pesado, com câmbio manual no volante, com o qual eu tinha pouca intimidade: era usado mais pelo motorista que contratara para ficar à disposição do meu filho.

Boechat assumiu o volante da banheira, ele dirigia bem, e saiu driblando poças, que viravam ondas, uma sensação de Moisés abrindo o

Mar Vermelho. Foram momentos de pânico até chegarmos ao finado Viaduto da Perimetral, de onde desembocamos num Aterro totalmente inundado e engarrafado. É claro que não existia celular à época e, portanto, estávamos ilhados, sem que ninguém soubesse onde nos encontrar. Boechat não era homem de ter medo, mas estávamos ambos tensos. Até que, do outro lado da pista, demos com o prédio iluminado do saudoso Hotel Glória (o mesmo que o Eike Batista derrubou e virou mais um dos buracos negros dessa cidade). Ele não titubeou. Subiu com o carro no canteiro e avisou: "Vamos passar a noite no Glória!". E eu: "Com que dinheiro?". Ele respondeu que tinha uns dólares de uma venda de quadro (vale lembrar que nessa época cartão de crédito era coisa de muito rico; os nossos tupiniquins viviam estourados) e lá fomos nós para descobrir que meio Rio de Janeiro tinha pensado na mesma coisa.

Conseguimos a muito custo um quartinho na ala menos nobre do hotel. De onde ele se comunicou com a patroa, já levemente histérica, e eu com a babá do meu filho e com o meu segundo marido, que estava em sua casa, em Copacabana: "Vou dormir com o Boechat aqui no Glória!". Até explicar o que era aquele dormir com o Boechat, demorou. Mas ele entendeu e acabou rindo muito. Também adorava o Boechat.

Sempre inquieto, sempre repórter, ele logo saiu do quarto dizendo que ia assuntar a área. Voltou em meia hora, eufórico, porque tinha encontrado o Eduardo Tapajós, dono do hotel, um *gentleman* e então famosíssimo, porque era dos maiores amigos do José Sarney, nosso presidente naquela época, e que lá se hospedava cada vez que vinha ao Rio. Pois bem: era tal o prestígio do Boechat, que o Tapajós cedeu a nós a dita suíte do Sarney – uma beleza, com salão, dois quartos com banheiros independentes e recheada de obras de arte.

A comida do hotel estava acabando, mas mesmo assim ele mandou para nós uma refeição ligeira e lá ficamos de papo. Ainda nos demos ao luxo de convidar um amigo comum que estava perdido no lobby para desfrutar da mordomia. Mas só eu aproveitei completamente a noite do Glória: com medo dos ataques da patroa enfezada, tão logo a chuva amainou e o trânsito começou a fluir, Boechat me pediu emprestado o Opalão do Dr. Ricardo, me deixou acomodada naquele luxo todo e se mandou pra casa.

É duro pensar agora que ele se mandou de vez. Foi brilhar no firmamento a estrela que tanto brilho nos emprestou enquanto viveu.

Te amo, Ricardo Boechat. Para sempre.

Confidências de um peladeiro

AZIZ AHMED

Uma amizade consolidada nas peladas semanais, sem a adrenalina das redações

"Não tenho diploma de curso superior. Se for preso, vou para cela comum. Só estudei até o segundo grau. Minha faculdade de comunicação foi a Universidade Ibrahim Sued", afirmava Ricardo Boechat, lembrando que foi durante os 12 anos garimpando notas no escritório do Turco (como carinhosamente era chamado o Ibrahim) que aprendeu todos os segredos do ofício. E contava que, apesar de ter rompido intempestivamente a relação trabalhista com o ex-patrão, dele recebia sempre referências elogiosas:

– Ibrahim confessava orgulho de ter como pupilos eu e o Elio Gaspari – recordava Boechat, que reconhecia ter sido o Turco a sua verdadeira referência profissional. – O que aprendi com ele, quase sempre na base do esporro, iluminou a pista da qual decolei para o voo solo – admitiu, no longo depoimento que deu, em dezembro de 2018, para o meu livro "Memórias da imprensa escrita".

Peladeiro contumaz e obsessivo, como eu, foi essa paixão que nos aproximou mais intimamente. E dessa aproximação recolhi confidências, feitas no ambiente descontraído e alegre nos nossos momentos de lazer.

Um dia, em 1993, o amigo Álvaro da Camélia ofereceu o campinho de futebol da casa dele, no Alto da Boa Vista, para a gente juntar um grupo de jornalistas e bater a nossa bola. Reunimos uma turma da pesada: Bruno Thys, Rodolfo Fernandes, Sergio Pugliese, Aydano André Motta, José Carlos Tedesco, meu filho Marcelo, Jorge Nunes, Fábio Lau, Cezar Faccioli, Sérgio Barreto Motta, meu irmão Alberto, Luiz Carlos Pinto Amando, Rodolfo Rizzotto, Blau, Paulo Maurício. Incorporamos ao grupo outros "securas" de bola, como o ator Felipe Camargo, Vinicius França, produtor musical e empresário do Chico Buarque, o craque Léo do Peixe e outros mais, com os quais passamos a nos reunir, nas manhãs de domingo, nas peladas regadas a cerveja, em clima de total relaxamento, ao largo da carga de adrenalina produzida nas redações.

Essa rotina foi certo dia marcada por um acontecimento insólito. O caseiro do Álvaro não estava. A casa, fechada, guardada apenas pelos dois mal-encarados rottweilers, que conhecíamos à distância. A turma, com fome de bola, permanecia de plantão na porta esperando o caseiro, até que o Boechat perdeu a paciência. E, convenhamos, também a esportiva. Ele e o filho Rafael pularam o muro da casa. O Rafa atraiu os cachorros para o canil e o Boechat prendeu os dois. Para delírio da galera, abriu a porteira e tomamos o pedaço de assalto. Se era para ir preso numa cela comum, estava criado um motivo: invasão de domicílio. Mas o bom amigo Álvaro entendeu nosso sufoco, não prestou queixa e ainda nos deu a chave de uma porta de serviço, facilitando, a partir daquele incidente, nosso acesso à propriedade, no melhor estilo "entre sem bater".

O episódio criou certo desconforto e meu irmão Alberto resolveu construir um campo num terreno dele, sobre pilotis, na reserva florestal do Grajaú, que o Boechat apelidou de "Albertão", onde a partir de 1998 passamos a jogar não só aos domingos, mas também às quartas e feriados.

Nativo de Niterói, ele me confessou que nutria a nostálgica lembrança do tempo em que atravessava a Baía de barca e, na Praça Quinze, antes de tomar o rumo do Maracanã para torcer pelo Flamengo, traçava com apetite voraz o famoso Angu do Gomes. Sua segunda paixão futebolística era pelo Canto do Rio Foot-Ball Club, o Cantusca, time niteroiense que sucumbiu de vez dos campeonatos estaduais depois da fusão dos estados da Guanabara e do Rio de Janeiro.

Outra de suas manias era gostar de carro grande. Tinha motivo. Com uma prole numerosa e um sítio em Santo Aleixo, no município de Magé, era uma forma de poder transportar toda a família, instituição pela qual nutria profunda devoção. Mas um dos seus carrões também deixou para ele uma lembrança emblemática. Numa época de vacas magras, não lhe sobrava dinheiro para comprar a bateria para sua Variant ano 1976 que o atendia precariamente. E contou-me às gargalhadas:

– Eu deixava o carro em todas as ladeiras de Niterói, às vezes perto do Hospital Santa Mônica, e outras vezes no Centro, pra pegar no tranco. Um dia cheguei e tinham roubado o carro. Nem dei queixa.

Consagrado como um jornalista multimídia competente, ético, transparente, corajoso, obstinado, Boechat era amigo alegre, generoso, um irmão. Depois de reerguer-se dos tropeços que a vida lhe impôs, disse-me no depoimento que deu dois meses antes do acidente que o levou tão prematuramente:

– Penso que estou no melhor momento da minha vida.

Ele encontrou no terceiro casamento, com a jornalista capixaba Veruska Seibel, sua doce Veruska, uma parceira que o aconselhava – e o incentivou a fazer a opção pela mídia radiofônica –, o grande salto de uma vida profissional gloriosa. Vivia reclamando da carga de trabalho, mas estava feliz.

Numa irônica coincidência, Veruska, ao distribuir como lembranças afetivas alguns de seus pertences pessoais a parentes e amigos, destinou-me uma gravata numa caixa com as iniciais "R.B.". Possivelmente não vou usá-la, por razões sentimentais. Mas o mimo me fez recordar de um episódio curioso da nossa relação. No ano de 1995, no meu aniversário, ele me presenteou com uma gravata. Era de uma cor tão esquisita, que não combinava com nenhum dos meus ternos, com nenhuma de minhas camisas sociais. Tive de comprar terno e camisa para poder usá-la.

Ele adorou saber disso, porque também era um gozador. Um dia nas nossas peladas no campo do Álvaro, a gente assistia aos rachas de cima, porque o campo, gramado, foi feito numa plataforma cortada na encosta. O Tedesco foi chutar uma bola, tropeçou na dita cuja, e estabacou-se. O Boechat não parava de rir da cena grotesca. Como se quisesse penitenciar-se do surto das gargalhadas compulsivas, virou-se pra mim e disse:

– Adoro o Tedesco!

– Imagina se não adorasse – observei, mas nem assim ele parou de rir.

Em suas narrativas sobre a vida pessoal, toda vez que se referia a alguma coisa impactante que lhe ocorria, atribuía à "brincadeira do destino". Ao enviar-lhe uma mensagem cumprimentando-o por ter recebido do Senado o Prêmio Jornalista Roberto Marinho de Mérito Jornalístico, em 2016, ele, com a fina ironia de sempre, respondeu:

"Meu irmão, que não me ouçam, mas é uma brincadeira do destino que eu venha a ser laureado com um prêmio que leva o nome do patriarca da família que me demitiu... E que seja concedido por uma instituição, o Senado Federal, que esculhambo diuturnamente".

Saudades.

A alegria contagiante de um repórter visceral

CHICO OTAVIO

Ganhou com Boechat e Bernardo de LaPeña, em 2001, o Prêmio Esso de Informação Econômica, por uma série sobre desvios nos portos

Da minha mesa, tinha uma visão privilegiada do processo de produção da coluna do Boechat. A editoria Nacional, em que eu trabalhava, ficava ao lado da "ilha" dele na antiga redação do "Globo", na Rua Irineu Marinho. Eu me divertia assistindo a um Boechat inquieto, entre uma piada e outra, cativando as fontes, dando furos, espremendo a equipe, pedindo notas aos colegas que passavam e, principalmente, pegando no pé da minha editora, Silvia Fonseca, uma mineira durona e tímida, que acabara de assumir o comando da equipe. Ele chegou a fazer um apelo por notas num pedaço de papelão, que ficava em sua mesa.

Uma vez, no início de 2001, Boechat veio em minha direção com a gravata virada para trás. Embora eu mal soubesse dar nó em gravata, sonhava com o dia em que também pudesse usar uma gravata virada. Quando ele parou diante de mim, pensei que iria pedir uma notinha. Não era isso. Como todo grande repórter, Boechat tinha farejado uma boa história. Duas fontes lhe haviam entregue um calhamaço de papéis, mostrando as brechas que facilitavam o contrabando e o descaminho pelos portos do país.

Não havia assunto que Boechat não resolvesse em cinco, seis linhas de uma nota na coluna. Mas, desta vez, ele avaliara, para desespero de sua equipe, que a história não caberia em uma única nota. O time da coluna sabia da paixão do chefe pela reportagem. E se arrepiava porque, ao mergulhar num assunto, ele não conseguia se dedicar com tanto afinco à produção diária de notas. Nada, contudo, era capaz de detê-lo.

Até então, eu era chamado por ele de "Seminarista". Desconfio que me via assim especialmente pelo jeito de vestir, sempre com a camisa para dentro da calça e tal. Enfim, engomadinho. Mas o convite que Boechat acabara de fazer veio junto com um novo apelido: "Burocrata". Ele fez questão de explicar que era uma qualificação elogiável, uma vez que eu era meticuloso, tinha paciência de ler tudo, procurar entender, buscar os detalhes. Ok. Do meu lado, estava o querido colega Bernardo de LaPeña, com quem na época eu dividia reportagens mais profundas. A ideia de Boechat era acionar a dupla para o projeto dos portos.

Eu via Boechat como a figura mais representativa da redação. Um ano antes, ele figurou como espécie de garoto-propaganda de uma campanha comercial do "Globo". No anúncio, circulava pela redação, mostrando algumas de suas estrelas e dando um esbarrão no Doutor Roberto. Senti um frio na barriga, por achar que não daria conta. A mesa de Boechat ficava no meio da redação. Ele não gostava de isolar-se em salinhas exclusivas. Porém, para aquele assunto, ele reservou um dos cubículos próximos de sua coluna, onde despejou o calhamaço em nosso colo.

Engana-se quem acha que tudo com o Boechat era levado na base da piada. Quando arregaçamos a manga, ele mostrou-se focado, firme. Mas tinha uma alegria contagiante a cada avanço, a cada descoberta. Os olhos brilhavam, com a emoção típica dos grandes repórteres. Da minha parte, apostei na reputação de "burocrata". Bernardo e eu esmiuçamos os documentos para montar um roteiro de trabalho. Corremos alguns portos do Rio e de outros estados. Ouvimos um monte de gente.

Naqueles três meses de trabalho, convivi intensamente com o mestre. Tive a honra de ser levado pelo Boechat, num jipão Land Rover que ele adorava, para almoçar no Copacabana Palace, cenário dos seus primeiros passos na carreira. A gente se falava quase todos os dias. Apresentou-nos às fontes do dossiê, coisa rara para um colunista: isso requer confiança nos repórteres. E que me desculpem os queridos colegas da coluna, mas naqueles dias Boechat também foi nosso chefe.

Apuração concluída (embora o repórter nunca ache que está bom), varamos a madrugada escrevendo. Ele ficava atrás da dupla, regendo tudo. Impressionado por descobrir que os contrabandistas haviam declarado oficialmente como "trapos" uma carga de equipamentos eletrônicos trazidos da Ásia, ele repetia: "Escreva aí: trapo. Trapo!". Com o título "Sinal verde para o contrabando – Sistema que analisa a documentação e decide o destino das cargas dá livre trânsito a 75% das mercadorias", começamos a série num domingo, dia 6 de maio de 2001.

A reportagem repercutiu. Continuamos nos falando, fazendo planos para outras séries. Certo dia, pouco mais de um mês depois, ao abrir em casa uma edição dominical do "Globo", não encontrei mais a coluna do Boechat. Tomei um susto. Para a minha tristeza, e acho que a de muitos outros colegas também, ele havia deixado a casa. Mas foi muito emocionante subir ao palco, no fim daquele mesmo ano, para receber ao lado dele e do Bernardo o Prêmio Esso de Melhor Informação Econômica com o nosso "Sinal verde". Boechat estava revigorado.

Depois disso, a gente se encontrou em alguns raros eventos profissionais e sociais. Não tive tempo de dizer que, até hoje, inspirado naquela alegria do repórter visceral que ele era, continuo em busca do que se esconde atrás dos trapos.

Amor à primeira vista

DATENA
Era um dos grandes amigos de Boechat na Band

Ricardo Boechat era daquelas raras pessoas que você conhecia e tinha afinidade imediatamente. Com nós dois foi amor à primeira vista. Assim que ele chegou em São Paulo, nossa identificação foi instantânea, e isso tem um valor ainda mais especial para mim, que sempre fui resistente a aceitar novas amizades.

Argentino-brasileiro, com seu típico balanço carioca, ele era um sujeito extremamente aberto, mas com uma firmeza de companheirismo que virou artigo em extinção. Na Band e para quem o conhecia de perto, era amado não só por ser um jornalista vigoroso. Era o cara que saía para jogar bola com a molecada da técnica, que tratava todo mundo de forma igual. Falava com os poderosos do mesmo jeito que conversava com qualquer pessoa, não importava o cargo. Ele, sim, foi poderoso, porque tinha um poder que poucos têm: o dom da palavra e do amor.

Boechat se destacava por outra virtude rara: era verdadeiro de plantão, 24 horas por dia. Não falava uma verdade de manhã e outra à noite. Tinha convicção de suas opiniões, a ponto de mesmo seus inimigos o respeitarem, até porque era muito difícil contestá-lo. Mas, quando era preciso, também tinha humildade para voltar atrás e reconhecer os erros.

Na imprensa brasileira, Boechat foi uma referência. Não tenho dúvidas em afirmar que se tornou o maior jornalista do país, pela coragem, pela independência e pela forma de combater a corrupção e as injustiças. Defendia um Brasil que sofre socialmente, tomado por uma classe política em boa parte apodrecida. Por isso era tão admirado e reverenciado por ouvintes e telespectadores. Com a voz ou a palavra escrita, ele defendia no jornalismo os interesses de um povo relegado a um quinto plano da nossa democracia doente. Ele usou o jornal, o rádio e a TV de uma forma verdadeira.

E acima de tudo era um cara alegre, sempre de bom humor. Quando Boechat ganhou o primeiro Prêmio Comunique-se de Âncora de TV, em 2007, ele foi até o meu camarim e disse:

– Olha aqui, esse prêmio pode ficar pra você.

– Mas por quê? Foi você quem ganhou o prêmio de melhor âncora da televisão brasileira.

– Pois é, mas você falou tanto isso que os caras acreditaram.

O amigo Boechat

FERNANDO MITRE

Diretor de jornalismo do Grupo Bandeirantes, onde Boechat trabalhava desde 2005

O que o filósofo ateu Bertrand Russell faria se, ao morrer, fosse levado à presença do Criador? Quando saía de uma celebração em homenagem a Ricardo Boechat, me veio à memória aquele episódio, em que o famoso velhinho inglês respondeu à pergunta do insistente jornalista. Russel simplesmente cobraria do Criador não lhe ter dado evidências suficientes para que pudesse acreditar nele.

Deixei uma mensagem sobre isso na internet, logo depois da celebração, imaginando – e ainda imagino, ao escrever esse texto – que um diálogo semelhante poderia ter acontecido lá em cima naquela segunda-feira da tragédia em que perdemos o colega tão amado.

E, no caso, acompanharia o ateu Boechat uma lista enorme e incrível de ações ou provas de amor ao próximo, que ele dava o tempo todo. Por mais discreto que tentasse ser com suas boas ações, não conseguia esconder muitas delas de quem, como eu, convivia intensamente com ele.

Convivia e discutia. Aliás, conviver e trabalhar com o Boechat significava, antes de tudo, discutir.

Discutir e aprender, mesmo quando a palavra final do diretor pretendesse sinalizar que estava ensinando. Inútil pretensão, quando se tratava de Ricardo Boechat, um dos mais críticos, rebeldes e obstinados jornalistas que conheci na busca da qualidade.

Nossas discussões iam das pautas do dia à finalização das matérias na ilha de edição, passando por todo o caminho da produção, onde estava sua obsessão maior: a apuração rigorosa do fato.

Mas avançavam, muitas vezes, quando havia tempo, entre críticas sérias e ironias de companheiros, para outros temas, que acabavam revelando aspectos da sua vida pessoal e privada. E aqui voltamos às virtudes cristãs exercidas com comovente generosidade por aquele ateu orgulhoso do seu ateísmo.

O que testemunhei, sem entrar em detalhes, que ele não queria revelar, era o exercício permanente – ou a permanente disposição para esse exercício – da mais valiosa virtude cristã: o amor na sua melhor acepção. Ou a solidariedade, como explicava o Boechat, que é o amor mais a ação.

Ação, essa é a palavra – ou o conceito – que o separava dos políticos, talvez com uma ou outra exceção, que não consigo lembrar agora (e me vem a dúvida: será que havia exceções?). Promessas, planos, discursos, declarações de governantes, tudo isso, que funciona como recheio de grande parte do noticiário político, não entrava na sala do Boechat sem que ele torcesse o nariz ou soltasse um palavrão. E as brigas de políticos?

– Boechat, hoje temos briga com sobe som na matéria de Brasília.

– De quem?

– Dois deputados se ofendendo no plenário.

– Os dois devem ter razão.

E essa reação, claro, virava comentário no ar.

Você já deve ter adivinhado que eu, pobre diretor de redação e chefe do Boechat, encontrava no dia a dia provocações de sobra para as inevitáveis discussões na hora do fechamento. Daí, naturalmente, saíam sínteses corretas que davam qualidade ao noticiário que ele ancorava no nosso "Jornal da Band".

Mas a visão crítica do Boechat, com a qual nem sempre eu concordava, acabou marcando o jornalismo brasileiro com um estilo mais do que consagrado, expressando uma indignação que era exatamente o sentimento da maioria da população. Ele acertou na medida, que muitas vezes me parecia exagerada.

Quem chegasse à redação para uma visita (são muitas essas visitas) no momento de uma daquelas discussões, digamos, acirradas, ficaria, certamente, chocado. Às vezes, dependendo da temperatura, até os colegas se surpreendiam, como numa certa tarde... Confira:

Eu: – Boechat, você deu uma informação errada hoje de manhã na rádio.

Ele: – Qual?

Eu: – Você disse que o Sarney tem dinheiro público até na bunda. Não é verdade.

Ele: – Não me enche o saco.

Eu: – Tem que consertar isso. E o resto também está exagerado.

Ele: – Vou ver o que dá para fazer.

No dia seguinte, na rádio, lá estava o Boechat fazendo o que ele achava "que dá para fazer". Começou dizendo que, na véspera, tinha feito comentários sobre os interesses do ex-presidente e os recursos públicos, o que provocou várias reações. Do chefe Mitre, de outros jornalistas, de alguns amigos e até de sua doce Veruska, a mulher amada. E concluiu:

– Todos disseram que exagerei e acho que eles podem ter razão. Mas quero dizer aos ouvintes que não retiro uma palavra do que falei...

Os vícios da nossa política, que, durante séculos, vêm conspurcando o que deveria ser a mais nobre das atividades, eram os alvos preferidos do Boechat. Onde estivessem os rastros daqueles malditos "ismos" – patrimonialismo, fisiologismo, corporativismo, nepotismo –, lá estava a voz do Boechat, criticando, atacando ou xingando. Promessa de governante era um problema.

– Boechat, o governo está prometendo...

– E eu tô cagando...

Algumas palavras costumavam provocar os sucos gástricos do nosso âncora. Uma delas, dependendo do contexto, era governabilidade, a "tal governabilidade". Esse era o grande pretexto, pontificava na redação, para as maiores canalhices da nossa política. E era muito pouco aberto às justificativas para articulação política exigida pelo nosso presidencialismo de coalizão. Dei um livro de presente para ele sobre o tema – um excelente livro, expliquei. Ele deu uma olhada na capa, disse algo parecido com "já conheço essa história" e continuou a bater a escalada do jornal. O livro ficou por lá.

Às vezes, penso que o Boechat escondia seus conhecimentos de teoria política ou de literatura, como fazia com suas virtudes cristãs, exercidas de maneira discreta. Não me esqueço de um "Canal livre" sobre Machado de Assis, discussão de alto nível, em que ele simplesmente brilhou – ajudado, claro, por uma incrível sensibilidade.

Sempre apressado, chegando em cima da hora, tenso no telefone apurando notícia, o Boechat dava um jeito e ainda encontrava tempo para atender estudantes, ouvintes e telespectadores.

– Cadê o Boechat?... Precisa gravar um off...

– Está ali no canto, atendendo um grupo de estudantes.

Essa era uma cena comum na redação. Evidente que isso dava problemas com o horário de fechamento. Não posso negar que não foram poucas as vezes que senti vontade de esganá-lo. Tenho certeza de que a recíproca era verdadeira.

Os variados diálogos na redação, o bom humor da convivência e o mau humor, que comparecia com insistente regularidade, formavam o ambiente fervilhante, de onde emergia a fera Boechat, de segunda a sexta, para apresentar o jornal, já tendo deitado a sua admirável falação nas manhãs da Rádio BandNews.

Era o Boechat, jornalista e comunicador, "abrindo a boca a favor do mudo, pelo direito de todos os que se acham desamparados" – como se leu (Provérbios 31,8) naquela celebração em sua homenagem.

Chego ao fim deste pequeno depoimento, deixando de fora muitos episódios e observações que complementariam o perfil de um personagem tão especial como Ricardo Boechat. Personagem riquíssimo, de grande complexidade e de uma nobreza que se confirmava e se renovava a cada dia. Sempre surpreendente. Eu costumava brincar com ele, citando um grande poeta:

– Boechat, você é uma obra de arte: novidade que permanece novidade.

AROEIRA

Conviveu com Boechat nas redações do "Globo" nas décadas de 80 e 90

Foi durante o governo Itamar Franco, em 1993, que Aroeira viveu um dos momentos mais insólitos de sua carreira. Havia feito uma charge do então presidente inaugurando um submarino, inspirado num evento que ocorreu dias antes. Embaixo, aparecia uma piscina de lama e os Anões do Orçamento, um dos assuntos mais comentados da época. Irritado, um assessor do ministro da Marinha ligou para o jornal e exigiu a demissão de Aroeira, porque a charge era um desrespeito à instituição e "doutor Roberto estava presente à inauguração". Quem atendeu foi Boechat, que sentava em frente à editoria de arte. Ele disparou uma série de palavrões e falou que, se o ministro quisesse, ligasse para o Roberto Marinho. Aroeira saiu fortalecido do episódio.

HISTÓRIAS DE **RICARDO BOECHAT** 85

Lucidez, desobediência, ironia e obstinação

FLÁVIO PINHEIRO

Comandava a redação do "JB" em 1987, na segunda passagem de Boechat pelo jornal

Citar Albert Camus para falar de Ricardo Boechat soa um despautério. Não podem ter sido mais diferentes. Nascido em Dréan, Argélia, em 1913, filho de pais franceses, Camus foi sobretudo escritor e ensaísta. Ganhou o Prêmio Nobel de Literatura em 1957. Morreu em 1960 num desastre de automóvel. Boechat, filho de brasileiro e argentina, criado em Niterói, tinha 8 anos quando o acidente aconteceu. Elucubrações do pensamento produziam nele enfado. Para Camus, o jornalismo foi um território para esgrimir polêmicas, espalhar ideias, bater-se contra variadas formas de opressão. Boechat talvez desse a mesma resposta de italianos praticantes deste ofício quando perguntados sobre como é ser jornalista: trabalhar é pior. Boechat impunha-se massacrante rotina, calos nas orelhas de abano de tanto falar no telefone atrás de informação, mas divertia-se. E como. Do batente retirava a energia que lhe dava peculiar e desaforada vivacidade. Camus escrevia muito melhor do que falava. Boechat falava muito melhor do que escrevia, mas essa epifania só estalou na sua vida tardiamente.

Então, que diabos Camus faz aqui? Camus passou de raspão pelo Brasil em 1949. Fez rápido périplo pelo país, começando por Recife. "Essa coisa amarela, de novo, não", foi assim que conseguiu repelir nas escalas seguintes novas tentativas de entupi-lo com vatapá, incandescente e apimentada delícia tropical. Dez anos antes, em 1939, logo depois de eclodir a Segunda Guerra com o avanço militar da Alemanha nazista, Camus escreveu um manifesto sobre liberdade de imprensa, então gravemente ameaçada. Publicou o pequeno texto no "Le Soir Republicain", folhetim político que dirigia em Argel. O manifesto sumiu. Foi redescoberto só em 2012. Nele, Camus listava quatro meios ou princípios indispensáveis para a defesa da liberdade de imprensa: lucidez, desobediência, ironia e obstinação.

À sua maneira, Boechat professava estes quatro princípios, sempre com vigor, ainda que às vezes cedendo a bravatas. Sem exaltação e exagero, ele não seria Boechat, e registre-se que além dos princípios cultivava a curiosidade, atributo primordial de bons jornalistas. Cada um destes princípios podia merecer um ensaio. Digamos que a lucidez ajuda a converter fatos em acontecimentos. Parece simples, mas não é. No boletim de ocorrências do noticiário, Boechat em geral sabia desentranhar acontecimentos, ou seja, o que para além da trivialidade apresenta sinais de sintoma. O simples empilhamento de fatos torna a realidade apenas insalubre, cobrindo com fumaça o essencial. Desobediência nele era vociferante insubmissão, com direito a acertos e erros de pontaria. Ironia, seu dom de achar graça no cotidiano e de rir de si próprio. Obstinação, bem, obstinação no caso dele era quase uma patologia.

Sua exasperação tinha forte acento moral. Vez por outra a política ou uma visão mais ampla do fato e da cena em que se deu perdia-se na correnteza vocabular. Eu ouvia o rádio quando uma vez ele insultou um juiz que dera sentença considerada abjeta. Conclamava vizinhos do homem a dar uma cusparada no Meritíssimo se tivessem uma chance. Colecionou processos porque atirava tanto sem a devida munição de evidências. Mas sempre era nítida a primazia que dava à informação. A informação viva, relevante, forrava suas opiniões, o que cada vez acontece menos nestes dias de triunfo do opinionismo pedestre.

Trabalhamos juntos pouquíssimo tempo no "Jornal do Brasil". Ficamos camaradas. Numa ocasião demos juntos palestras para estudantes de jornalismo. A contundência em sala de aula era a mesma. Naquele dia, para uma plateia cheia em Belo Horizonte, ele resumiu assim a lição que queria transmitir: "Vocês têm que ser treinados em canis, aprendendo a distinguir um cocô de outro". Com a metáfora escatológica, quis dizer que farejar notícia exige perdigueira persistência. Longe de se ofender, a estudantada dava gargalhadas.

Breve digressão. Neste mesmo dia pegamos um táxi, que precisou fazer uma parada antes do destino. O motorista não se deu conta de que para isso fechara o carro que vinha atrás. Quando o ofendido emparelhou com o táxi, desferiu: "Ô, meu amigo, pelo amor de Deus". Ao que o taxista reagiu: "Pelo amor de Deus, ocê". Rimos imaginando que a mesma cena no Rio teria a cacofonia de uns 22 palavrões. O episódio, por algum tempo, virou bordão quando nos encontrávamos.

Boechat por anos deu aulas de jornalismo. Em seu programa no rádio, um dia falava-se da implicância com certas palavras. Ele deu exemplo com uma história de sala de aula. Pediu aos estudantes que na aula seguinte opinassem sobre um texto que distribuiu a todos. A primeira a falar disse: é interessante. "Interessante é cu de elefante", atalhou de bate-pronto. Detestava a vaguidão da palavra que por seu descompromisso quase sempre não quer dizer nada. A palavra era sua arma. Esmigalhada por abreviaturas tolas e desvalorizada por se prestar a toda sorte de torpezas, a palavra resiste. Como o rádio, onde ela reina, resistiu a tantas profecias de morte.

Nosso último encontro foi há alguns meses dentro de um avião. Ponte-aérea São Paulo-Rio. Ele disse que continuava dando palestras para jovens jornalistas. Em todas passou a citar personagem de insistente aparição, a "âncora indignada". O exemplo era uma real reportagem de TV que relatava o seguinte: dois rapazes acorrentaram a avó numa cama; com senha arrancada dela, recebiam sua aposentadoria e dissipavam o dinheiro; um deles, de vez em quando, desafogava furores hormonais transando com a velha. A câmera voltava para o rosto da âncora que, compungida, dizia: Que absurdo! Se ela não tivesse dito, ninguém teria notado que aquele era fato digno de estar na pasta "O Ser Humano É Inviável", na qual o jornalista José Luiz Alcântara, que deixou o mundo dos viventes em 2015, colecionava aberrações que pululavam no cotidiano da imprensa.

Quando aquele helicóptero perdeu o rumo no dia 11 de fevereiro de 2019 e espatifou-se numa estrada em São Paulo, eu estava a alguns milhares de quilômetros de distância. Destilei imensa tristeza num quarto de hotel. Lembrei da âncora. Consegui desta vez ouvi-la tomada por indignação, despida de qualquer retórica edificante, dizendo: Que absurdo!

Sambista nato

GILDA MATTOSO

Estudou com Boechat em Niterói nos anos 60 e, a partir dos 80, como assessora de imprensa de medalhões da MPB, tornou-se sua fonte

Conheci Boechat nos bancos escolares, no fim dos anos 60. Estudamos juntos no Centro Educacional de Niterói, um colégio de vanguarda que funcionava em horário integral e com uma série de atividades incomuns naquela época, como aulas de francês, oficina de audiovisual – quando esse termo nem era conhecido – e até xilogravura, que tinha como professor Newton Cavalcanti, um dos maiores artistas do país.

Boechat era de uma turma abaixo da minha. Sempre foi ótimo aluno. Mas também era ótimo em comandar arruaças. Contestador, agitado, era um líder. Usava camisa metade para dentro da calça e metade para fora, com o cabelo cacheado, meio desgrenhado, quase uma Angela Davis, só que louro. Por conta dessa liderança, ele fascinava todo mundo, desde nós, colegas e alunos, até os professores e diretores.

As loucuras de Boechat sempre provocaram barulho. Como o dia em que ele foi levado para a secretaria, de castigo. Passou horas lá dentro, sentado. A gente o via pela janela que dava para o pátio. Deu a hora de ir embora, todo mundo deixou o colégio, e Boechat continuou na secretaria, sozinho. Só foi liberado pouco antes de fecharem a escola. A história ficou famosa pela consequência na manhã seguinte: Boechat havia aproveitado o tédio para encher as máquinas de escrever com amendoins. Quando os funcionários chegaram para trabalhar, passou a voar amendoim para todo lado.

Em outra ocasião, ele aprontou com Dona Inaiá, uma professora anã que dava aula de artesanato numa sala no terceiro andar. Boechat, por algum motivo – provavelmente bagunça –, ganhou nota zero e começou a fazer um drama: "Se a senhora não tirar esse zero, eu vou me matar!". Dona Inaiá não deu ouvidos, manteve a nota, até que Boechat saiu correndo pela sala e pulou da janela! Mas do outro lado havia uma marquise larga, e ele ficou ali, agachado. A professora, desesperada, correu para a janela, mas, como era baixinha, não enxergava lá embaixo nem conseguia vê-lo. Até descobrir a farsa, quase morreu do coração.

A gente conviveu diariamente até 1970, quando saí do colégio. Fui morar no exterior, voltei, mas continuei mantendo contato com os amigos de Niterói, mesmo depois que me casei com Vinicius de Moraes. De longe, acompanhava a trajetória de Boechat no jornalismo.

Por coincidência, nos tempos em que ele estava na coluna do Ibrahim Sued, meu irmão Luís Antônio, que trabalhava na Câmara de Comércio Brasil-Estados Unidos, acabou se tornando sua fonte. Lembro de uma vez meu irmão ter passado a notícia de um conferencista importante que viria da Polônia para o Rio. O nome do figurão era tipicamente polonês, cheio de consoantes, e só mais tarde ele percebeu que havia falado a grafia errada. Telefonou novamente para o Boechat e perguntou se dava tempo de mudar. E ele: "Não tem importância, o Turco não sabe escrever!". Esse senso de humor ferino sempre foi uma de suas marcas.

Foi a partir de 1980, quando comecei a trabalhar na gravadora Ariola, que voltamos a nos falar com mais frequência. Ele passou a assinar a coluna "Swann" e virei sua fonte. Era sempre muito exigente. Quando eu ligava para avisar que o Gil lançaria um disco com músicas inéditas, ouvia a reclamação: "Mattosinho, cadê a notícia? Cantor tem que lançar disco, ora bolas! E tem que ter música inédita!".

Ele sempre buscava a notícia exclusiva, com razão. Como numa ocasião em que Flora Gil e Paula Lavigne, esposas de Gil e Caetano, tiveram uma briga feia na Bahia. Eu trabalhava com as duas e, não sei como, Boechat ficou sabendo. Ele me ligou querendo detalhes. "Boechat, pelo amor de Deus, não vai me comprometer...". E ele, com aquele jeito sedutor: "Mas Mattoso, eu já sabia disso, só quero mais algumas informações. Teve puxão de cabelo ou coisa assim?". Boechat sabia conduzir uma conversa impecavelmente e tinha a incrível capacidade de tirar das pessoas o que não queriam falar. No dia seguinte, a nota saiu assim: "Não convidem para o mesmo elevador Flora Gil e Paula Lavigne...". Nessa época, elas eram donas de escritórios no mesmo prédio.

Desde os anos 80, a gente volta e meia se encontrava, especialmente na casa do Guilherme Araújo, em Ipanema, onde hoje funciona o meu escritório e o Gabinete de Leitura Guilherme Araújo. Boechat o conheceu ainda na época do Ibrahim, quando Guilherme fazia bailes de carnaval memoráveis, que reuniam grandes estrelas internacionais. Os dois passaram a ter uma relação de fonte e colunista.

Foi também lá pelos anos 80, numa das ligações do Boechat para apurar alguma nota, que eu lembrei a ele uma ótima história da nossa adolescência. Já tinham se passado quase 20 anos desde os tempos do

Centro Educacional, mas eu sempre tive uma memória muito boa. E nesse dia perguntei se ele lembrava do samba que compôs para uma professora de português, chamada Ana Rita. Era uma mulher muito magra, com cabelo meio de palha. Boechat havia feito a letra e outros amigos, a melodia. Cantei então a música inteira, que era hilária.

Sabugo de milho vestido
Foi o único que encontrei
Para citar com o seu apelido
Não fica bem mas eu sei

E acontece que ele lhe qualifica
E se enquadra na sua moral
Sabugo de milho vestido
Colhido do milharal

Da sua casca fiz palha
Pro meu cigarro acender
Do seu caroço a galinha de malha
Comeu só deixando você

E agora sabugo de milho
Estás aqui a lecionar
Sabugo de milho vestido
Mestra do meu linguajar!

Em meio a gargalhadas, Boechat comentou: "A gente tem que escrever isso, eu não lembrava mais!". Mas ele nunca escreveu. E, vejam que

A mais cintilante estrela de Niterói

GILSON MONTEIRO

Conheceu Boechat em Niterói, em 1969, e tornaram-se grandes amigos. Foram contemporâneos de colunas no "Globo" entre 1993 e 2001

ironia, desta vez eu é que dou um furo: Boechat já foi sambista.

Ricardo Boechat era um ser humano tão grande, tão completo, tão especial, que não haverá espaço suficiente para escrever sobre ele nas próximas décadas. Sua morte repentina me abalou de tal forma, que resolvo aqui rememorar meu convívio com essa pessoa extraordinária. Não vou falar do jornalista, noticiado pormenorizadamente pela imprensa. Vou focalizar o homem de uma simplicidade franciscana, que gostava de estar perto das pessoas humildes, não se impressionava com o poder e não tinha medo de nada nem de ninguém.

No ensino médio, tirava as melhores notas em português, literatura, história e já começava a se destacar em redação. No Centro Educacional de Niterói não havia censura. Pelo contrário, os professores incentivavam os alunos a dizer o que pensavam. A diretora, Myrthes

Wenzel, uma liberal do ensino (coisa difícil na época), já profetizava: "Esse Boechat vai longe", apesar de seu nome figurar como um dos recordistas no caderno de ocorrências e estar entre os mais travessos de seu tempo. Dona Myrthes pacientemente passava as mãos na cabeça do estudante bolsista, convencida por seus inenarráveis argumentos, e acabava perdoando as traquinagens. A experiente educadora, que preparou muitas gerações de jovens hoje brilhando no Brasil e no exterior nas mais diversas atividades, podia enxergar naquele aluno franzino, muito inteligente e decidido, um futuro brilhante. Boechat transformou-se num dos grandes jornalistas brasileiros.

Lembro bem da pequena casa de madeira, em São Francisco, ele já casado com Claudia Costa de Andrade, mãe dos seus três primeiros filhos. Depois, teve mais três filhos em dois casamentos. Só gostava de carro grande e velho para levar a filharada nos fins de semana a um sítio seu em Santo Aleixo, em Magé, a uma hora do Centro do Rio. Mas o conheci bem antes e a todo momento me impressionava a sua solidariedade e o amor ao próximo.

Boechat sempre demonstrou gratidão e amizade com quem, direta ou indiretamente, teve participação em sua vida, estendendo esse gesto até a um carro que foi seu companheiro pelas ruas de São Paulo. Carlinho Serrote era um desses queridos de Boechat. Apesar de o sobrenome do amigo dar a falsa impressão de que fosse carpinteiro, era o mecânico a quem constantemente Boechat procurava, a qualquer hora do dia ou da noite, na Grota do Surucucu, comunidade de São Francisco, para desenguiçar seus carros (muito) usados: um jipe Candango, que herdou do avô; uma Kombi; uma Variant; e, por último, uma Land Rover Defender, a diesel. Serrote largava tudo o que estava fazendo para socorrer o amigo e vizinho. Ele conhecia bem aqueles carros velhos e logo os fazia rodar, sem muita despesa, para alegria do dono, que vivia numa pindaíba só. Num gesto bem a seu estilo, Boechat fez questão de homenageá-lo, escolhendo Serrote para padrinho de sua primeira filha, Beatriz. O dindo ficou tão agradecido que colocou até paletó para o ato solene, diante da pia batismal.

Ao se mudar para São Paulo, em 2006, Boechat optou por um ultracompacto Renault Twingo, prata, ano 2001. Foi amor à primeira vista. O pequeno carro o acompanhou durante oito anos, no seu agitado dia a dia, até 2014, quando sofreu um acidente e ficou amassado. Foi doado, então, ao artista plástico Alê Jordão, com a recomendação de que fizesse das peças do carro uma obra de arte, valorosa, em reconhecimento aos bons serviços prestados ao proprietário.

As peças do Twingo foram transformadas em cadeira, luminária, abajures, apliques, porta-revistas, enfim, em inúmeros objetos de decoração apresentados na exposição "Spectrum", que fez o maior sucesso na capital paulista. Boechat foi lá conferir e se emocionou com a reconfiguração dos restos mortais do Twingo, parceiro de tantos anos, desde então eternizados em várias residências. No ano seguinte, comprou outro Twingo, mas desta vez azul, com o qual fez a última viagem de sua casa à Rede Bandeirantes, no dia do fatídico acidente de helicóptero.

As primeiras peladas foram na Rua Coronel João Brandão, onde morava. As bolas caíam no quintal de vizinhos e a molecada aproveitava para pegar goiabas, mangas, jabuticabas e pitangas. Quando flagrado, resmungava: "Isso é o que dá morar em rua com nome de militar. Querem enquadrar a gente". Outra coisa com a qual ele não se conformava era com a supressão do "Saco" de São Francisco, feita por uma lei municipal que ignorava a referência ao acidente geográfico que dava nome ao bairro. Boechat só se referia ao seu bairro como antigamente: Saco de São Francisco. E acrescentava existir ali a mais bela enseada e pôr do sol do mundo.

A sua paixão pelas peladas começou mesmo no campinho de terra do Centro Educacional de Niterói, onde na hora do recreio ou no final das aulas, se não surgisse uma bola, os alunos não se importavam: alguém ficava sem o par de meias, improvisado e transformado numa bola redonda ou oval para o racha que aconteceria de qualquer maneira. Mais tarde, com seus cabelos louros e ondulados, juntou-se à turma da Tapuias, nome de uma das ruas que desemboca na Praia de São Francisco. Ali, na areia, todo sábado, com chuva ou sol, no fim da tarde rolava uma pelada, à qual somente faltava por motivo bastante imperioso.

Para se ter ideia do que representava esse prazer esportivo, Boechat estava em Paris, numa missão jornalística, hospedado no Plaza Athénée, hotel grã-fino cinco estrelas, que tinha como gerente-geral o amigo Franco Cozzo. Tinha a volta prevista para segunda-feira, mas, como terminou o trabalho na sexta, foi ao aeroporto tentar antecipar o retorno, contando a verdade às recepcionistas do balcão da Varig: precisava viajar imediatamente porque tinha importante compromisso no dia seguinte, no Brasil. Teve até que ser ríspido para conseguir embarcar e chegar a tempo de jogar a pelada de sábado. De tão contente que ficou, comprou dois champanhes Dom Pérignon para brindar com seus companheiros de futebol, mas esqueceu a sacola com as garrafas numa cadeira no Aeroporto Charles de Gaulle. Se naquela tarde não pôde beber à saúde dos amigos da praia, sempre que tinha oportunidade, nas manhãs de seu programa na BandNews, citava o nome ou o apelido daqueles que lhe proporcionaram momentos de tanto prazer e alegria ao longo da vida.

Numa dessas peladas, Boechat machucou a perna e eu levei a sua casa o ortopedista Ledio Maia. Quando o médico disse que ele precisava ir ao Hospital São Lucas para tirar raios X, com seu bom humor habitual, retrucou: "Doutor, jornalista não pode ser engessado, ainda mais em época de revolução". O médico mandou colocar apenas uma atadura e ficou tudo certo. Anos depois, a história se inverteu: tive uma doença grave, Boechat apareceu lá em casa e me levou ao grande médico Gilberto Salgado, que me curou. Antes, cuidou de minha cirurgia na Casa de Saúde São José, usando o seu prestígio para que eu tivesse, como tive, um atendimento digno e de primeira linha, apesar de ter um bom plano de saúde.

Mesmo sofrendo na carne, mantinha seu espírito de solidariedade. Boechat dirigia sua Kombi tranquilo por Icaraí, quando ouviu gritos de "pega ladrão". Parou e perguntou a dois homens de paletó, que andavam apressados: "Precisam de ajuda?". Eles responderam: "Desce que é um assalto!". Não perdeu o senso de humor, apesar do susto: "Cara, me devolve rápido o carro, porque só possuo este". Os ladrões, que tinham acabado de assaltar o caixa de uma agência bancária, largaram a Kombi numa rua do Cubango.

Passei certa vez o Natal na casa de dona Mercedes Carrascal, argentina de inteligência rara, culta e de personalidade forte, que se preocupava em manter a família unida e amiga. Era casada com o professor de línguas neolatinas Dalton Boechat, esquerdista convicto, que trabalhou na Petrobras e lecionou nos institutos do Ministério das Relações Exteriores. A casa ficava na Rua Tamoios e impressionava pela decoração natalina da varanda e da sala, premiada várias vezes como a melhor da cidade. A matriarca abria mão de tudo, menos que algum filho, com a mulher e a filharada, faltasse àquela data de importante união. Fazia questão de preparar tudo, da ornamentação à ceia.

Ricardo, gozador e espirituoso como sempre, abriu a apresentação do amigo-oculto descrevendo uma figura inimaginável, aumentando a curiosidade de todos, até dizer que ia presentear alguém que nascera no exterior, era o primogênito, gostava de mexer com obras, tomar cervejinha e fumar bastante. Estava na cara, era o irmão Carlos, o mais velho, nascido em Montevidéu e que é engenheiro da Prefeitura de Niterói. Em um outro ano, a escolhida foi Veruska, paixão de sua vida. Desligado como sempre dessas datas festivas, Boechat se esqueceu de comprar o presente. Compensou, na sua apresentação, usando todo o sentimento e a inteligência prodigiosa, jorrando palavras profundas, com reflexões sobre a importância daquela noite, véspera do nascimento de Jesus: fez uma verdadeira poesia de amor dedicada à capixaba Veruska. Esta, respondeu ao marido com um carinhoso beijo e abraço, dizendo ter recebido "o melhor presente da vida".

No ano retrasado, com toda essa discussão sobre ideologia de gênero, sempre antenada nos assuntos nacionais e internacionais, dona Mercedes resolveu trocar a tradicional roupa vermelha do Bom Velhinho por outra, cor-de-rosa, coberta de flores coloridas no peito, tornando-se a atração para os netos que, ao irem chegando, gritavam: "Vovó, Papai Noel é gay!".

Certo dia ele me levou para jantar no Castelo da Lagoa. O dono, Chico Recarey, para agradar, mandou servir escargot. Era novidade para nós dois. Foi uma tragédia. Quando colocávamos o talher naqueles caracóis, eles pulavam do prato. Boechat, rindo, disse: "Chico, muito obrigado, isso não é prato para gente da tribo de Arariboia. Lá nós estamos acostumados a comer feijão com arroz".

Foi ele quem me levou para "O Globo". Por isso, quando Boechat saiu do jornal, preparei um jantar surpresa, cozinhando eu mesmo em sua casa no Leblon, para um grupo solidário à dor do querido amigo. Naquele momento, ninguém acreditava que ele sobreviveria a tamanho baque. Só mesmo Boechat, com seu talento, sedução, coragem, garra e incrível poder de comunicação, para dar a volta por cima e ficar mais forte do que antes, caso inédito no jornalismo brasileiro. Na BandNews tornou-se líder de audiência do rádio no Brasil por todos esses anos, além da credibilidade que passava no jornal da TV Bandeirantes.

Guardo muitos bilhetes do saudoso irmão, dentre eles, separei dois:

"Ao querido Gilson, um amigo tão raro quanto o hotel de que trata este livro".

É que a fila do lançamento do livro "Copacabana Palace", de sua autoria, estava tão grande, que resolvi pegar o autógrafo dele depois, no "Jornal do Brasil". Mais adiante, sem lembrar que eu já havia recebido um exemplar, me mandou outro, com o seguinte bilhete:

"Querido Gilson,

É vergonhoso amigos como nós se verem e se falarem tão pouco.

Até o livro do Copa, autografado à época, está desde 1998/9 esperando para ser entregue. Lá vai ele, com saudades, Boechat".

Quando nos encontrávamos em qualquer lugar, ele soltava o bordão: "Gilson Monteiro, de Niterói para o mundo inteiro!".

Boechat, eu fiquei no território fluminense, mas ao irmão que se projetou nacional e internacionalmente, digo agora:

Ricardo Boechat, de Niterói para as estrelas!

O dono da lojinha

JOAQUIM FERREIRA DOS SANTOS

Foi colega de Boechat no "Diário de Notícias", em 1969, e no "Jornal do Brasil", em 2001

"Às vezes eu chuto a minha própria sombra".

Quem se definiu assim foi Ricardo Boechat quando eu o entrevistei em 2016 para a biografia de seu amigo e coleguinha, o colunista social Zózimo Barrozo do Amaral (1941-1997). Ele queria dizer que era ansioso demais, exigente demais consigo mesmo, e que o chicote que parecia ter embaixo do braço, cavalgando o dia inteiro atrás da notícia, muitas vezes atacava o próprio lombo. Era o *workaholic* clássico, mas esse tipo de palavreado metido a besta não era muito do vocabulário de Boechat.

Ele me disse sobre a sua sombra num momento delicado da nossa conversa. Detalhávamos o estremecimento da relação de amizade que os dois colunistas tiveram quando Zózimo deixa o "Jornal do Brasil", em 1993, e vai para "O Globo", onde já estava Boechat fazendo um trabalho parecido – o de ficar ao telefone pedindo notinhas, furos, sacadas, ideias, frases, o que a fonte tivesse do outro lado da linha e servisse para preencher as páginas do jornal. Boechat tinha humor. Nos momentos de maior desespero, podia seduzir as fontes fazendo uma piada politicamente incorreta:

"De preferência me passa uma nota errada, porque aí eu tenho que dar a correção no dia seguinte, e aí já serão menos duas notas".

Não demorou muito, ele e Zózimo, os dois agora competidores debaixo do mesmo logotipo do "Globo", brigaram. O motivo, visto de hoje, é risível. Num mesmo domingo, os colunistas deram uma nota sobre Roberto Carlos e a Brahma. Zózimo disse que o contrato deles tinha sido rompido. Boechat anunciava o contrário, que haviam acabado de assinar para mais uma temporada. Boechat estava certo – e o problema não foi só esse. Ele tinha como avisar ao amigo da "barriga". Não o fez. Zózimo, então, contrariado, publicou no dia seguinte a nota:

Entre as experiências estimulantes proporcionadas pela redação de um jornal estão o companheirismo e a lealdade.

Quando acontecem.

Quando não acontecem, deságua-se sempre na mesma e inelutável constatação.

Caráter não é artigo que se compre em loja.

Ou se tem ou não se tem.

Boechat me disse em 2016 que leu a nota de Zózimo antes da publicação, numa *print* sobre uma das mesas da redação. Tinha certeza de que a sua era a informação certa, pois havia sido passada à coluna por Dody Sirena, o empresário do Rei. Chegou a considerar a possibilidade de retirar a notícia e evitar expor o amigo ao ridículo. "Se essa nota não está coincidindo com a do Barrozinho e a dele já fechou, vou jogar essa merda fora" – conjecturou.

Nem precisava jogar "a merda" fora, porque numa coluna de notas, um dos mais extenuantes ofícios dentro de uma redação, nada se desperdiça. Boechat, em 2016, conjecturava uma ação ainda mais simples: poderia guardar a nota por uns dias, quando todos já tivessem esquecido da informação de Zózimo, e voltaria ao assunto com algo do tipo "reviravolta nas negociações de RC e a Brahma".

Mas a tensão do fechamento venceu. A página em branco pedia alguma coisa quente para a edição dominical, a de maior número de leitores. Já na madrugada para o sábado, cansado por fechar duas colunas, a do sábado e a do domingo, Boechat, que se sentia "com o cu na frigideira" (com a chegada de Zózimo ao "Globo", temia perder o emprego), mandou tocar o pau – e fechou a coluna com a "merda" da nota que desmentia a do amigo.

Boechat e Zózimo ficaram dois meses sem se falar, alvo de fofocas de revistas, putos da vida um com o outro, até que um dia Zózimo, no meio de uma roda, viu que Boechat passava ao lado. Chamou: "Boechat, vem ouvir essa aqui" – e voltaram à velha amizade.

Adoravam-se. Quando Boechat se desentendeu com Ibrahim Sued e largou o escritório do Turco, Zózimo o abrigou na coluna do "JB" até que "O Globo", dois meses depois, percebendo que estava passando um tesouro à concorrência, o chamou para trabalhar na coluna "Carlos Swann" (um pseudônimo que abrigava os jornalistas Ana Maria Ramalho, Carlos Leonam e Fernando Zerlottini). Boechat seria sempre grato a Zózimo pelo acolhimento. Viajavam juntos, chegaram a morar juntos no casarão de um amigo, no Alto Leblon, que abrigava recém-descasados.

Certa vez, Boechat e Zózimo nadavam na piscina da fazenda do banqueiro Ronaldo Cezar Coelho, em Vassouras, com Henrique Schiller de Mayrinck, Roberto D'Ávila e outros convidados. Todos divertiam-se na piscina quando o filho de Boechat, Rafael, com 5 anos, puxou, de farra, o calção de D'Ávila. Ao levar o troco, o garoto emburrou.

"Pô, Boechat", disse D'Ávila, sem jeito, "esse teu filho é mais mal-humorado que o Chernenko", referindo-se ao primeiro-ministro russo.

Todos riram. Passaram a chamar o menino de "Chernenkinho" e a Boechat de "Chernenko", devido também, como o próprio admitia, ao seu temperamento de "dar eventuais pontapés na própria sombra".

Boechat, o Chernenko, era mais *hard news*, um profissional 24 horas enfurecidamente dedicado a catar notícias, de preferência o que a redação chamava de "denúncias". Ele estava numa fase espetacular quando Zózimo foi para "O Globo", dava furos em cima de furos (o superfaturamento das fardas do Exército, o estouro de um cassino clandestino num clube de bacanas da Gávea, o plágio cometido pelo presidente Collor ao assinar como seu um texto do escritor José Guilherme Merquior). Zózimo, o Barrozinho, definia-se mais pela "insustentável leveza do ser". Queria o leitor morrendo de rir. Chernenko buscava a indignação.

"Era uma disputa, sim", me disse Boechat e eu publiquei na biografia "Enquanto houver champanhe, há esperança". "Você tem uma loja de frutas na Visconde de Pirajá 315 e seu pai abre uma loja de frutas na Visconde de Pirajá 317. Ou ele tem que ter um produto diferenciado do seu, frutas que você não quer trabalhar, ou vocês vão virar concorrentes. Não havia como ignorar que duas colunas com dois titulares com essa mesma trajetória estavam superpostas no mesmo jornal. Por mais que a dele tivesse esta característica, esse DNA do Zózimo, a sua ossatura era a mesma de qualquer coluna de notícia. Ele estava atrás do furo, da informação exclusiva, e eu também. O Barrozinho foi o cara que abriu a lojinha do lado, independentemente da nossa convivência. Procurava fazer isso sem que se configurasse nada hostil. Ele nunca se posicionou como alguém que estava competindo pela notícia. Não era da natureza dele, embora tenha feito a sua trajetória com grandes notícias. Eu é que me colocava assim".

Foi aí que a direção da redação do "Globo", para terminar com essa ciumeira, fez um aceno de radical simpatia em direção a Boechat. Deu-lhe um aumento de salário (embora Zózimo continuasse ganhando duas vezes mais). A compensação para tentar empatar o jogo foi tirar o nome de Swann da coluna do primeiro caderno e passar a nomeá-la, em letras enormes, pelo nome do editor-redator que vinha no pé. Virou coluna "Ricardo Boechat". Uma vez, ele já colunista com a cara no alto da página do "Globo", nos encontramos dentro de um 409 (Horto-Saens Peña). Morava no Humaitá e estava indo para a Rede Globo.

Mas tudo isso foi muito depois, quase no fim da história dos dois. Na primeira vez que eu vi Ricardo Boechat ele já estava como estaria para o resto de sua gloriosa carreira jornalística – acelerado, já chutando a sombra, o balde, o que estivesse pela frente. Não tirava onda, não posava, não queria ser intelectual. Orgulhava-se do rótulo jornalista. Sua passagem pela Rádio BandNews é a prova disso – dava o número do celular para o ouvinte que quisesse telefonar e passar alguma notícia.

Aquele meu primeiro encontro com ele foi em junho de 1969 na redação do "Diário de Notícias". Éramos estagiários. Eu, repórter da geral, ele, o repórter encarregado de pegar o listão dos aprovados no vestibular, uma operação importantíssima para o jornal, líder na venda entre os estudantes. Boechat conseguiu todos os listões em primeira mão. Tomou gosto e seguiu com esse ímpeto carreira afora: furos e mais furos. Em seguida, reforçaria essa vocação ao trabalhar como repórter no escritório de Ibrahim Sued. Era o mesmo laboratório de grandes profissionais onde poucos anos antes tinha estado o foca Elio Gaspari.

Como colunista do "Globo", Boechat continuou a transformação que o Turco tinha começado nos anos 1950 e Zózimo Barrozo do Amaral aperfeiçoara a partir do fim da década de 60 no "Jornal do Brasil": a de colocar notícias no espaço onde antes só havia os potins sociais de jantares e casamentos.

Era um jornalista completo, capaz de acompanhar em alta qualidade as transformações pelas quais a profissão estava passando. Seu texto de improviso, falando sobre a depressão que o tinha afastado por dias do microfone da BandNews, é um dos grandes momentos do radiojornalismo moderno, pela coragem, emoção e capacidade de verbalizar com graça e sentimento uma doença que a maioria prefere esconder ou não sabe contar seus dramáticos percalços. Foi incrível. Boechat falou tudo sem gaguejar, com as palavras fluindo perfeitas e sensíveis – e passou a ser convidado para depoimentos que ajudaram a milhões de vítimas do mesmo problema.

No início deste milênio, eu, repórter, voltei a cruzar com ele na mesma redação. Boechat era o editor-chefe do "Jornal do Brasil", responsável pela edição extra do 11 de setembro de 2001. Continuava agitado e dedicado ao combate às injustiças, com o trabalho sempre à frente de suas preocupações – mas era de trato afável. Uma figura. Nas noites de sexta-feira, ao ver alguma repórter da coluna conversando no café, passava discretamente e fazia um sinal como se estivesse cortando o próprio pescoço com uma faca. Não significava que ia decepá-la. Era seu jeito, enérgico e tão redação de jornal, de lembrar à repórter que estavam no "pescoção", a noite dramática em que as colunas fecham

O outro lado do balcão

JOSÉ CARLOS TEDESCO

Como assessor de comunicação, conviveu com Boechat por mais de 30 anos. Eram grandes amigos fora do trabalho

até três edições.

Quando saí de redação, fui trabalhar em assessoria de imprensa. Mudei de lado no balcão. Estive à frente da comunicação de empresas e instituições muitas vezes cobradas e criticadas por Boechat, um profissional sério, duro e extremamente correto. Era isento e incansável na luta pelos interesses do leitor, do ouvinte ou do telespectador.

Devo ter sido um dos jornalistas que mais discutiram e brigaram com ele, muito em função de minha atuação, principalmente nos segmentos de Saúde e Justiça. São setores muito demandados, criticados pela sociedade e com dinâmica e tempo diferentes dos veículos de mídia em geral. Ao nos encaminhar uma reclamação, Boechat nos dava no máximo 24 horas para respondê-la. E não havia chance de postergação.

Marcava a Justiça de perto. Cobrava no ar posições firmes do judiciário. Encaminhava uma enxurrada de demandas de ouvintes várias vezes ao dia. Eu tentava contar com a boa vontade dos magistrados para não deixá-lo sem resposta. Não era fácil. Nos casos em que o cidadão não tinha como ser atendido, Boechat lançava mão de seus próprios recursos.

São muitos os exemplos. Havia um porteiro no Rio, cuja mulher morreu de Aids, que tinha um filho também portador da doença, e estava com dificuldade de ser tratado. Boechat entrou no circuito e conseguiu atendimento para o rapaz em São Paulo, pelo SUS: pagava a passagem e o hotel, quinzenalmente. Numa dessas viagens, porém, São Paulo sediava a corrida da Fórmula 1, e a rede hoteleira estava lotada. Preocupado, me pediu que o ajudasse a encontrar um lugar para o rapaz dormir, sem alertar ninguém. Sigilo total – e a questão foi resolvida. Embora sequer conhecesse pessoalmente o rapaz, se sensibilizava e sofria com o problema dele e fazia de tudo para ajudar. Ligava para o jovem com regularidade, queria saber como estava indo o tratamento e se podia fazer mais. Sempre mais.

Quando nos encontrávamos, invariavelmente ele trazia uma relação de questões para saber se eu tinha condições de ajudá-lo a resolver. Jamais pediu qualquer coisa para ele. Tornava seu o problema de um conhecido com idade avançada e a companheira com câncer, que não conseguiam manter o plano de saúde; ou o de um amigo que perdeu o emprego e não tinha mais como sustentar a família. Tudo girava em torno do próximo. Boa parte dos recursos que obtinha com o trabalho fora do rádio e da TV – palestras e textos que fazia para revistas – ele destinava para ajudar outras pessoas.

Se era duro na cobrança, Boechat também era justo no reconhecimento ao esforço individual ou coletivo. Valorizava a iniciativa e o trabalho alheios: dava o crédito, informava no ar o nome de quem resolveu um determinado problema ou decidiu um assunto, fosse uma empresa, instituição pública ou um assessor. Quando errava, também não tinha qualquer melindre em reconhecer a falha e se desculpar publicamente.

E estava sempre nos surpreendendo. Em meados dos anos 90, o convidei para uma palestra sobre inovação e tecnologia na área médica. Ele não gostava muito de ministrar palestras, ainda mais sobre um tema com o qual não tinha intimidade. Porém, informado de que dividiria a mesa com Regis McKenna, um dos ícones da chamada sociedade do conhecimento, que ajudou a lançar muitos dos produtos que mudariam e ainda estão transformando o mundo, ele topou.

Em total silêncio, ouviu McKenna discorrer sobre os impactos que a tecnologia teria, anos depois, na vida de cada um. Assuntos como engenharia genética, mobilidade etc. Quando chegou sua vez, Boechat disse que só sabia apertar as teclas do celular, e nada mais. Mostrou uma caderneta de telefone, antiga e agonizante. E, com todo o respeito a seu interlocutor, afirmou que de nada adiantaria estarmos diante de inovações tão radicais, se não pudéssemos usá-las para melhorar a vida das pessoas. Por trás da máquina, frisou, havia o homem e suas necessidades. Esse era o alvo principal de Boechat.

No dia do ataque às Torres Gêmeas, recebi uma ligação dele: "Você, tá fazendo o quê?". Respondi: "Vendo a tragédia na TV e trabalhando". Ele então iniciou uma reflexão sobre tudo aquilo: falou que o mundo inteiro estava fazendo a mesma coisa, ou seja, assistindo a um filme de terror da vida real. Não só as pessoas em torno dos prédios atingidos, mas todos nós que acompanhávamos a transmissão ao vivo, nos tornaríamos, a partir daquele momento – e para sempre –, testemunhas da história.

No telefonema, ele avaliou que a simplificação da captação da imagem e a evolução da tecnologia de transmissão mudariam tudo: o desafio não seria mais o de registrar flagrantes, mas o de selecionar a informação suficientemente relevante, pois tudo passaria a estar ao alcance de todos ao mesmo tempo, em todos os lugares. Lembrei disso na hora em que recebi a notícia de sua morte e corri para checar se não era pesadelo. Para desespero de todos nós, as cenas do acidente não só eram reais, como já estavam no ar: foram captadas por câmaras de celulares, transmitidas e compartilhadas em segundos para milhões de pessoas.

Boechat se reinventou, revigorou o rádio no Brasil, ajudou muita gente, construiu uma família linda da qual se orgulhava e deu voz a todo mundo. Seu fim, de forma tão trágica e precoce, foi um baque difícil de superar. Lembro dele em muitos momentos do meu dia. Era um colega que se tornou amigo e um amigo que se tornou irmão.

A Dupla Pipoca!
AMOR/HUMOR!
(Oswald de Andrade)

JOSÉ SIMÃO

De 2006 a 2019, bateu bola com Boechat todas as manhãs na Rádio BandNews

Como todo mundo tá careca de saber! O careca eu escrevi em homenagem ao Boechat! Hahaha! Nós tínhamos um programa de humor "Buemba Buemba"! Por 13 anos! E o engraçado: só me encontrei com o Boechat pessoalmente uma única vez. Em Paris! Mas foi a pessoa com quem eu mais falei na vida: dez minutos todo dia durante 13 anos! E o mais engraçado: me contaram que no dia da estreia o Boechat suava de nervoso. E mal sabia ele que do outro da linha eu também suava de nervoso. Os dois suando! Um de cada lado da linha!

Essa foi a estreia! Hahaha! Boechat era um vulcão. Em erupção! Um indignado. E da indignação nasce o humor! E aí nasceu a Dupla Pipoca; um paulista esculhambado encontra um carioca da gema de sungão vermelho! Eu dizia PI e ele POCA! PIPOCA! A química perfeita! Quando a gente entrava no ar, se instaurava a anarquia: o cara bate o carro de tanto rir, a outra deixa queimar o arroz e depois passa e-mail cobrando, um outro não quer entrar no túnel, senão o sinal cai, e então fica parado na boca do túnel, "tô rindo sozinha e as pessoas pensam que eu sou louca". O Boechat aparece para gravar com orelhas de coelho! A anarquia!

Mas ele não era minha escada, como se diz no mundo do humor! Criava em cima do que eu criava. Eram duas primeiras vozes! Um filme sem coadjuvante! A gente se amava! A alegria com que ele gritava "Presideeeeente". E a minha euforia fazendo o roteiro e separando: "Essa o Boechat vai adorar". E os e-mails dos ouvintes: "Manda essa pro Boechat". Mando! Era um provocador, me dava gás para falar coisas cabeludas que eu ainda estava em dúvida se falava ou não. E quando ele ia falar uma coisa que eu não gostava, eu gritava "breaking news", aí vinha a vinheta e encobria a voz dele! Hahaha! E falava compulsivamente. E tinha dias que eu, ansioso para entrar no ar, gritava para a produção: "Fecha a boca do matraca". Isso se chama intimidade! Eu sabia da importância profissional do Boechat, mas não ligava muito! O que eu sentia mesmo era amor! AMOR/ HUMOR!

Um animal da comunicação

LEILANE NEUBARTH

Entre 1994 e 2001, apresentou, com Renato Machado, o "Bom dia Brasil", a primeira experiência de Boechat na TV

Em 40 anos de profissão vi muita gente saindo do jornalismo escrito para a televisão e sofrendo para se adaptar. Jornal e televisão são meios absolutamente distintos. A TV mexe com a vaidade, expõe o profissional. Não é uma mudança fácil. Nunca vi, porém, alguém se adaptar à televisão como o Boechat. Parecia que ele sempre havia trabalhado em TV. Incrível! Era um animal da comunicação.

Isso se deve, sobretudo, ao fato de Boechat ser desprovido de qualquer vaidade. Não era pernóstico e tinha zero de preocupação com críticas ou com o que pudessem achar dele. O que a TV mostrava do Boechat era rigorosamente o que de fato ele era. No "Bom dia Brasil", parecia estar à vontade em sua casa. Não havia diferença do Boechat no ar ou fora do ar.

Conviver com ele todos os dias foi uma alegria. Nos encontrávamos por volta de 5h30, 5h45, e não me lembro de vê-lo um dia sequer chateado. Muitas vezes ele chegava indignado com as injustiças no país. A indignação, aliás, era uma de suas marcas tão fortes quanto o bom humor. Assim como a espontaneidade e o jeito simples de se relacionar com todo mundo.

Boechat era o mesmo diante do Evandro Carlos de Andrade, então diretor de jornalismo da TV, dos câmeras, das maquiadoras e dos contínuos. Todos os que conviveram com ele têm uma história pessoal para contar. Ele cansava de tirar R$ 50 do bolso e dar para o pessoal de apoio tomar café. Há 20 anos era uma grana boa. Pedia para trazer troco, mas reagia quando os meninos vinham devolver o que sobrou do dinheiro: "Eu lá quero troco!?".

A presença de Boechat era sempre uma alegria. Lembro de certa vez em que chegou com um saco de balas de hortelã e jogou com força na gente aos gritos de "cuidado, bala perdida, protejam-se!". Ele tinha um repertório infinito de brincadeiras. Em outra ocasião, disse no ar que, em vez de quatro ou cinco notas, só daria duas porque estava incomodado com a cor de sua gravata. Ele nos deu tchau e foi embora. E ainda teve o dia em que saiu de cueca pelos corredores! Falou que estava fugindo do terno horroroso que as camareiras tinham escolhido.

As camareiras, aliás, também o adoravam. Numa vaquinha para ajudar uma delas a comprar um fogão e uma geladeira, Boechat foi o que mais contribuiu. A generosidade era outra de suas tantas virtudes. Os presentes que eventualmente ganhava iam direto para os contínuos.

Sou privilegiada por ter sido sua amiga. Ouvi histórias deliciosas em muitos almoços juntos. Histórias lindas da mãe, dos filhos, e algumas inconfidências. Lembro que me revelou que seu grande sonho de criança era um dia usar o ferro quente com henê da empregada de sua casa para acabar com os cachos no cabelo. Esse era o Boechat.

E quem diria que um dia eu o veria lendo a Bíblia! Isso aconteceu em seu casamento com a Veruska, uma festa linda e alegre no Copacabana Palace, com música e dança. Ele estava especialmente feliz naquela noite. Boechat era apaixonado pela Veruska.

Quanto mais lembro, mais sinto saudades. Tudo nele era verdadeiro: o humor, a simplicidade, a generosidade e a capacidade permanente de se indignar. Boechat foi das melhores pessoas que conheci na vida.

O insubstituível

LUIZ ANTONIO MELLO

Integrou a equipe de Boechat na sucursal do Rio do "Estado de S. Paulo", em 1987, e na estreia da Rádio BandNews, em 2005

O que Ricardo Boechat sentiu pelo jornalismo na adolescência não foi vocação. Foi carma. Não dá para imaginar Boechat sem redação e muito menos redação sem Boechat, seja de jornal, site, TV, rádio.

Quando ele era pequeno, no início dos anos 1960, parecia um corisco solto nos areais e brejos do bairro de São Francisco, Niterói. O que todos os amigos e colegas da época lembram hoje é que o desassossegado magrelo de cabelos louros, temperamento estourado, pavio muito curto, era extremamente curioso.

A curiosidade é a argila que forma um repórter e, quando o homem que vendia carne fresca numa carrocinha passou perto do campinho de pelada onde Boechat batia bola, parou e ficou vendo o jogo dos garotos. Alguém chutou mal e a pelota caiu num brejo. Imediatamente o nosso ansioso protagonista gritou "é minha" e foi correndo em direção ao charco. O homem da carrocinha, então, avisou: "Cuidado que cabeça de rã pode ser cabeça de cobra!". Boechat estancou, desviou e caminhou até a carrocinha. Queria detalhes sobre a curiosa história de cabeça de rã e cabeça de cobra, porque caçar aqueles anfíbios era um de seus esportes preferidos. Com os meninos em volta, o homem contou que nos brejos de sua terra, Cabo Frio, o maior perigo era confundir as cabeças. "Muita gente foi picada por cobra por causa dessa confusão".

Anos mais tarde, o jornalista passou a usar metafóricas cobras e rãs na hora de orientar repórteres mais distraídos. "Você tem que tratar a notícia com respeito, senão ela te derruba, te dá uma 'barriga'. Notícia pode ter cabeça de rã ou cabeça de cobra e só apurando, checando, perguntando, enchendo o saco você vai saber quem é quem nessa história, entendeu?", ensinava, com seu tradicional vigor. Ele não estava enquadrando um estagiário, mas um conceituado repórter sênior que tinha dado uma escorregada.

Boechat até perdoava um texto relativamente fraco, colocação de palavras inadequadas, mas erro de português e, principalmente, falha de apuração eram pecados mortais que o tornavam rubro, furioso, indignado, e o corretivo era forte.

O garoto ansioso, curioso, aflito foi pego pelo jornalismo cedo. Arrastado pelos cabelos (Boechat adorava metáforas), largou o colégio e foi parar na primeira redação, a do "Diário de Notícias", no Rio. O foguete decolou e nunca mais deixou a órbita da comunicação.

Carma.

O argentino Ricardo Eugênio Boechat foi um amigo querido e um dos melhores repórteres que conheci. Foi meu chefe direto duas vezes, uma delas no "Estadão", cuja sucursal no Rio ele dirigia. Minha mesa ficava na frente da porta da sala dele, que a todo instante falava ao telefone (claro), chamava um, chamava outro, me chamava, sempre de Mellô. Entra e sai de gente, de todos os tipos. Falava com um, dava eventuais esculachos, emprestava dinheiro, isso dentro da betoneira em chamas que é uma redação de jornal.

Eu era setorista da área cultural e, volta e meia, ele me surpreendia com a sua carga de informação sobre tudo, como numa tarde em que mostrou uma notícia marcada por ele num jornal do Sul. "Não são aqueles punks americanos?", perguntou. Eram sim. Ramones anunciando uma vinda ao Brasil. Ele engatou: "Esses caras são bons?". Eu disse que sim e ele mandou eu escrever "duas laudas sobre esses caras, mas antes apura a data, cidades onde vão tocar, etc. Vou vender a matéria para São Paulo porque é sangue novo, temos que botar sangue novo no papel, estamos mudando o 'Estadão'".

Ele não disse, mas "Estadão" e "Folha" estavam em guerra declarada, disputando os leitores novos, a vanguarda, os descolados, tanto que toda a redação ouviu Boechat dizer ao telefone "dando esses Ramones, a gente mata eles, vai dar na frente". "Eles" só podia ser a "Folha". A matéria sobre a vinda dos Ramones ganhou destaque no "Caderno 2".

Foi o único chefe que eu tive nacionalista e comunista que me espinafrava na base do "pô, Mellô, você tem que escrever mais sobre rock... temos que ocupar esse espaço, bota esses seus amigos, o Lobão, os Paralamas... liga para eles, escreve sobre os gringos". Comecei a produzir industrialmente entrevistas e verdadeiros ensaios sobre rock com extremo cuidado porque Boechat não entendia de rock, mas entendia de jornal, de informação.

Ele sabia sobre quem, o quê, quando estávamos escrevendo. O cara da política, o outro da economia, alguém que fora a um hospital fazer uma matéria, ele sabia de tudo porque era dependente químico, confesso e prazeroso, de notícias. Ouvia as rádios JB AM e Globo simultaneamente em sua sala e às seis da manhã já tinha lido todos os jornais.

Chegava às oito, mas às nove e meia da noite ainda estava lá, falando com São Paulo, com repórteres, fontes, numa época sem celular e muito menos internet. No meio desse caos que administrava com visível prazer, um, dois, três colegas reescreviam matérias que ele achara "mal apuradas", "mal explicadas", "fora do contexto", para mandar por fax para São Paulo em dez minutos.

Sua microagenda de papel, com uma caligrafia que só ele entendia, abrigava telefones de ministros, artistas, senadores, garis, muitos taxistas, uma impressionante rede de fontes acionadas periodicamente. Seu jornalismo crítico, que muitos chamam de ácido, era calcado na informação de qualidade. Quando ele dizia ou escrevia uma crítica forte contra pessoas ou instituições, estava baseado em sólido material de apuração. Boechat costumava dizer que o repórter tem que falar com pessoas e não catar uma nota oficial e se dar por satisfeito. "Quando o assunto é grave tem que achar o CPF que está à frente do CNPJ. Tem que ouvir a pessoa que manda e desmanda, o responsável, correr atrás dele, cercar o cara nem que seja na porta de um cinema, de um restaurante, caso não esteja em casa".

Era assim que ele agia e também por isso ganhou três prêmios Esso (1989, 1992 e 2001) e 18 prêmios Comunique-se. Adorava dar entrevistas, principalmente para estudantes de jornalismo. "Acho que sei alguma coisa e gosto de passar adiante. É muito importante mostrar para os novos candidatos ao jornalismo que a reportagem, a apuração, a checagem, a verificação são a alma da profissão. Tem que telefonar, correr atrás. Google? É um índice, um robô. Quando recebo de alguém uma matéria baseada apenas no Google, deleto na hora porque já experimentei. Pus de propósito uma informação completamente errada no Google e, lógico, ele publicou. Imediatamente fui lá e deletei".

Apesar das minhas ligações afetivas com a mídia eletrônica, é claro que eu também era (e sou) apaixonado por jornal e devo ao Boechat por ter me estimulado a transformar essa paixão em amor. Eu e centenas (sem exagero) de colegas. "Jornalismo é a arte de ter que fazer tudo de novo todos os dias. Muitas vezes você vai dormir glorificado com algum trabalho que deu certo, mas acorda zerado. Tem que fazer tudo de novo porque o ontem já era, já foi, notícias envelhecem muito rápido. A imagem que me vem à cabeça é a do sujeito empurrando um pedregulho morro acima e, quando chega no topo, a pedra rola. É assim com o jornalismo", costumava dizer.

Sou muito grato ao Ricardo Boechat pela amizade, confiança, pelos quase esporros que levei; eu e o resto do planeta. Mas acima de tudo pelo que ele fez pelo jornalismo, "que é lobo comendo lobo e que não dá para brincar de Sítio do Pica-Pau Amarelo", outra de suas frases famosas.

O tempo passou, nossos telefonemas esporádicos continuavam, ele foi para "O Globo", para a Globo e depois, bem depois, assumiu a direção de jornalismo da Band Rio. Em 2005, o grupo decidiu fazer a BandNews FM. Boechat, acumulando TV e rádio, me convidou para participar como repórter sênior. Foi muito bom.

Equipe ótima, alguns conhecidos, estávamos em fins de março, estreia da rádio prevista para maio. Inicialmente fui produtor do programa do Boechat, aquele que o transformou em pop star nacional. Um mês depois assumi a área cultural da rádio e fiz um informe diário com entrevistas que iam ao ar às seis e meia da tarde, mas sempre trabalhando em outros horários e enviando muito material para a rede. Por volta das nove da noite eu ia para o "aquário" dele na redação da Band TV e conversávamos sobre pautas na área cultural de uma maneira geral.

Sua primeira experiência em rádio foi um programa ótimo chamado "Boechat com torradas", na Rádio Paradiso FM, no Rio. "Gostei daquele negócio. Percebi que estava repercutindo nas ruas. Eu já era diretor da Band do Rio e veio o convite para fazer rádio todos os dias pela manhã. Depois de um tempo, fui transferido para a BandNews em São Paulo", ele comentou em um talk-show de Anselmo Brandi, realizado pelo Senac Lapa Scipião, em São Paulo.

Boechat tinha um Land Rover Defender 110 e em muitos sinais de trânsito era reconhecido por taxistas, flanelinhas, pessoas em carros particulares. Sua popularidade aumentava a cada semana, o que o surpreendia. "Nunca imaginei que o rádio tivesse tanta força", comentou uma vez. Nesse caso, a força não era do rádio, mas dele, do seu gigantesco carisma, sua defesa emocionada dos cidadãos, o destemido e bem fundamentado estapeamento de autoridades, aliados a um jeito de falar simples, objetivo, criativo e, claro, banhado de muita informação de qualidade.

O jornalista Ricardo Boechat, ao longo de quase 50 anos ininterruptos de redações, conquistou o respeito dos patrões, leitores e ouvintes, enquadrou o *status quo* e mostrou que existem pessoas insubstituíveis. A começar por ele.

CHICO CARUSO

Trabalhou com Boechat no "Globo" até 2001

A admiração entre Chico Caruso e Ricardo Boechat era mútua. Depois que Boechat se tornou âncora de TV e passou a mediar os debates de presidenciáveis na Band, Chico fez no "Globo" várias charges do amigo. Por uma ironia do destino, na manhã do acidente de 11 de fevereiro de 2019, a manchete do jornal estampava uma ilustração de Chico em seis colunas – a imagem do Cristo Redentor submergindo na inundação no Rio –, tema do último comentário de Boechat na BandNews. O programa "Café com jornal", que fazia um link ao vivo com o estúdio da rádio, exibiu o jornalista e a charge, lado a lado.

E em qualquer debate, seja como for...

..*vence o mediador!*

Assim era o Boechat

LUIZ MEGALE

Dividiu com Boechat os estúdios da Rádio BandNews de 2005 a 2011 e, entre 2011 e 2013, participou de seu programa como correspondente

Perdi a conta de quantas vezes esta cena se repetiu na rádio: estava na hora de entrar no ar um colunista, Boechat precisava chamá-lo para iniciar o papo, a vinheta já estava rodando e... "Mega, segura pra mim porque tenho que pegar uma informação! Toca aí, toca aí!", dizia, saindo apressado do estúdio, com o celular no ouvido, enquanto eu abria sozinho o quadro – até ele retornar e entrar no meio da conversa.

Assim era o Boechat. Sua prioridade, não importava se estava ou não ao vivo, era a notícia. E notícia de qualidade, bem apurada. Seu apetite por informação o fazia até mesmo se exaltar, às vezes em discussões acaloradas, que espantavam quem via de fora. Mas, do mesmo jeito que reclamava e brigava, cinco minutos depois estava brincando com todo mundo.

Trabalhei diariamente com Boechat por seis anos. Sua obsessão por notícia extrapolava o estúdio, a redação, o prédio da Band. Mesmo depois de ir embora ou em pleno fim de semana, era comum ele me ligar pedindo que confirmasse alguma história passada por um ouvinte ou uma fonte. Muitas vezes sussurrando. Uma vez resolvi perguntar por que falava tão baixinho. "É que não quero que a Veruska ouça", justificou.

Assim era o Boechat. Nossa cumplicidade ia além da redação. Qualquer decisão importante que precisasse tomar, eu o consultava. "Ouça seu pai profissional", sempre me dizia, com razão. Boechat foi ainda meu padrinho de casamento e também o responsável por me manter na Band, na época em que recebi propostas para trabalhar na TV Record, RedeTV e Rede Globo. Contei da minha vontade de um dia ser correspondente, que estava inclinado a aceitar, até porque não via como crescer na rádio. "Mega, deixa que resolvo isso". E lá foi ele até a direção: "Vocês precisam segurar esse menino!". Não só fiquei, como fui para a TV – e, por sorte, a Band estava montando um time de correspondentes.

Mesmo depois que comecei a apresentar o "Café com jornal", em que abríamos a câmera no estúdio da BandNews para transmitir ao vivo o comentário do Boechat, pelo menos uma vez por semana eu descia até o andar da rádio para conversarmos. E invariavelmente ele acabava me botando no ar.

A autenticidade do Boechat vinha dessa sua personalidade forte, inflexível. Ele nunca se dobrou para ninguém. "Meu irmão, se não for para fazer assim, é melhor eu parar", dizia. Mas também sabia ouvir e admitia quando estava errado. Como uma vez em que deu o braço a torcer no ar. Foi depois de um daqueles massacres a tiros nos Estados Unidos. Ele começou a culpar a violência dos videogames, justificando que estimulavam esse tipo de reação. Eu então pedi a palavra. Sustentei que violência sempre existiu em produtos culturais, fosse na literatura, na música ou no cinema. Quer dizer que se houvesse um tiroteio na Rússia do século XIX a culpa seria do Dostoiévski? E no rock dos anos 80 era o Ozzy Osbourne, com seu discurso satânico, o responsável por provocar terror? Essa história de que a cultura incendeia atos violentos sempre foi equivocada e reclamei que a bola da vez era o videogame. Ele ouviu até o fim e então recuou: "É, o Megale veio muito bem preparado. Nesse caso, ele tem razão".

Assim era o Boechat, gostava de quem não tinha medo dele. E também não tinha medo de ninguém. Em uma outra ocasião, pela primeira vez o vi escrever seu comentário de abertura – até então, sempre feito de improviso. Tudo por conta de um senador muito influente que começou a ligar para a direção da rádio queixando-se de que Boechat estava usando adjetivos agressivos contra ele e que essas críticas prejudicavam o Senado. No fundo, era uma pressão para calá-lo.

A Band, que sempre nos deu absoluta liberdade e nunca interferiu no conteúdo de ninguém, dessa vez ponderou que o senador pudesse ter alguma razão e que os comentários eram fortes. Boechat resolveu ouvir pessoas próximas, inclusive a Veruska, que concordou que ele estava extrapolando. Também consultado, fui um dos poucos votos vencidos, porque acreditava que essa era sua forma autêntica de trabalhar.

Passados alguns dias, Boechat chegou ao estúdio com um texto de duas páginas brilhantemente escrito. Disse que ia falar do senador. "Não vou fazer de improviso porque não quero errar nenhuma palavra", me avisou. Começou seu comentário falando do exame de consciência que fez e que avaliou se deveria voltar atrás sobre as críticas consideradas pesadas.

– Senador, eu tenho uma resposta para o senhor: não vai dar não. Porque pesado é como vocês tratam a população, pesado é o descaso com o dinheiro público – e começou a listar inúmeros motivos para prosseguir com suas críticas contundentes e muito bem embasadas.

Assim era o Boechat. Assim era o meu segundo pai.

Três ou quatro histórias que ninguém contou

MAURÍCIO MENEZES

Trabalhou com Boechat na sucursal carioca do "Estado de S. Paulo" em 1987 e 1988

O telefone toca na redação de "O Globo" e Boechat atende:
— Alô, Boechat? Aqui é o "saudoso" Altamiro Carrilho!

Na coluna que escrevia no jornal, Boechat fez uma alusão ao flautista e colocou aquele "saudoso" por achar que ele tinha morrido. Boechat me contou essa história:

— Altamiro, meu irmão, me desculpe... Eu peço a Deus que me leve antes de você, porque eu não gostaria de anunciar duas vezes a sua morte.

Em geral era assim que Ricardo Boechat reagia quando percebia que havia cometido algum erro. Corrigia na hora. Certa vez, saímos de uma pelada no bairro do Grajaú e Boechat pediu carona até o Aeroporto Santos Dumont. No caminho ele me fez uma declaração surpreendente:

— Menezes, se você apresentasse esse seu show nos Estados Unidos, você estaria muito bem, sabia?

— Mas Boechat, eu trabalho num negócio em que sempre quis trabalhar, sou casado com uma mulher que eu adoro, tenho dois filhos maravilhosos, duas netas lindas, uma família do cacete, moro onde sempre quis morar... Você não acha que eu estou bem?

Boechat pensou alguns segundos e se corrigiu:

– É, eu sou um babaca...

Certa vez, na sucursal carioca do "Estadão", onde foi diretor, Boechat acabara de ler uma matéria que eu tinha feito em Búzios, sobre um PM que matou uma modelo de 20 anos, com um tiro no peito. Eu localizei um casal argentino, que socorreu a moça e me falou do desespero do policial depois de disparar o tiro, que foi acidental. A minha matéria praticamente absolvia o atirador e confirmava a história que ele havia contado para a polícia. Boechat ficou surpreso e me chamou aos berros:

– Menezes!!! Que porra é essa? Você viu o que você escreveu? É isso mesmo? Você conhece esse PM?

– Claro que não... Mas eu estou convencido de que ele está falando a verdade. Esses argentinos não foram ouvidos pela polícia, não sabem o que o PM falou, mas contaram a mesma história do PM.

– Olha aqui: nós vamos publicar essa porra... Se vier desmentido, eu vou te cobrir de porrada...

– E se confirmar a minha matéria?

– Aí eu vou te cobrir de beijos!

No dia seguinte, todo mundo, inclusive a polícia, procurava a sucursal do "Estadão" atrás de informações sobre os argentinos, e surgiram outras testemunhas que confirmaram a minha matéria. Boechat reagiu apertando as minhas bochechas quando eu cheguei no jornal e disse alguma coisa como "genial".

– E os meus beijinhos? – perguntei.

– Vai à merda! – respondeu, se afastando.

Eu era assessor de imprensa do Tribunal de Justiça do Rio, anos depois, e Boechat nunca tinha ido no 10º andar, onde ficava o salão nobre. Era naquele espaço imponente, de 20 metros de largura e 30 de profundidade, com um pé-direito de dez metros, que os desembargadores empossados recebiam para os cumprimentos e coquetéis. Eu apresentei Boechat ao presidente do TJ, desembargador Marcus Faver. Boechat não perdeu o espanto com o salão:

– Olha, desembargador... que espetáculo. Quando fizerem uma reforma agrária no Brasil, ela tem que começar por aqui. Nesse salão cabem umas 200 famílias de sem-terra...

No meu último contato com Boechat, falei com ele como se fosse seu irmão mais velho. Eu estava no caminho para a Rádio Tupi, às sete da manhã, e botei na BandNews quando Boechat anunciava que iria para Salvador fazer uma palestra e voltaria a São Paulo a tempo de apresentar o jornal da TV. Liguei e falei como eu estava vivendo, trabalhando pouco, indo todos os dias à praia... Disse que estávamos velhos e não tínhamos mais pique para enfrentar essas jornadas.

– Precisamos curtir a vida um pouco, cara!

– Menezes, eu sei, meu irmão... Mas não consigo parar, é o meu ópio.

Algum tempo antes, o governo havia autorizado a flexibilização da "Voz do Brasil" pelas rádios. A Band passou a transmitir o programa das 20h às 21h. E o que entrou no ar das 19h às 20h? O "Jornal da Band" na TV. Liguei para Boechat no mesmo instante:

– Cara, a Band está transmitindo no rádio o jornal da TV. Isso é um absurdo. Estão jogando fora um horário muito nobre. Nessa hora, das 19h às 20h, tem 30 milhões de brasileiros presos no trânsito, ligados no rádio, precisando de notícia. Aí sintonizam na Band e tá o som do jornal da TV... E me disseram que foi ordem da direção da Band aí em São Paulo. Não é possível...

– É possível sim, Menezes... Vou procurar me informar. Mas eu acredito em tudo. Esse pessoal de TV é tão doido, que eles são capazes de achar que o rádio é a extensão da TV.

Nós tínhamos pelo menos um encontro anual no Prêmio Comunique-se, em São Paulo, onde eu fazia sempre apresentações com "causos" da imprensa. E num desses encontros eu pude perceber a preocupação de Boechat com seus amigos. Coube a ele me chamar ao palco. Eu me dirigia ao microfone quando ele voltou e disse para todo mundo ouvir:

– Se você contar alguma história minha, eu vou contar como foi a sua demissão do "Estadão" *(na verdade, eu pedi demissão)*.

Dei um abraço nele e fiz a minha parte no evento. Depois fui jantar e cheguei ao Hotel Transamérica umas 2h da madrugada. Na porta havia um recado: "Ligar para o Ricardo Boechat" e o número do celular dele. Não liguei porque era muito tarde e eu sabia que ele acordava cedo. Horas depois, despertei com o barulho de um papel sendo enfiado debaixo da porta e outro recado: "Ligar urgente para o Ricardo Boechat" e os telefones da rádio. Imaginei logo que deveria ser alguma coisa realmente urgente. Fiquei preocupado e, assim que atenderam o telefone na rádio, eu me identifiquei e uma moça me anunciou: "Boechat, é o Maurício!". Ele veio correndo e naqueles três segundos eu imaginei o que poderia ter acontecido.

– Menezes, meu irmão, me desculpe. Eu ontem à noite fiz uma grosseria com você, quando disse que você tinha sido demitido do "Estadão". Cara, eu nem dormi essa noite, não sei como fui fazer uma merda daquelas... Aquilo me fez muito mal e espero que você me perdoe.

– Que isso, Boechat! Todo mundo viu que foi uma brincadeira sua. É claro que eu não fiquei chateado.

– Não ficou porque você tem bom coração... Se fosse outro me dava uma porrada.

Esse era o Boechat.

O mais bem-humorado dos mal-humorados

MILTON NEVES

Conversava sobre esportes com Boechat todas as manhãs na Rádio BandNews

Boechat foi um caso único no rádio. O que eu custei 13, 14 anos para conquistar, ele dominou em dois ou três anos. Tomou conta do microfone e depois da bancada da TV com uma habilidade impressionante. E ainda entendia de qualquer assunto, conseguindo equilibrar informação com opiniões próprias, sem medo de causar polêmica.

A gente trocava muitas provocações nas minhas entradas na BandNews. Ele me chamava de Pitonisa, apelido que acabou pegando com o público. Uma vez começamos uma discussão porque eu tinha ido a Miami, com minha mulher e meus filhos, para conhecer a galeria do Romero Britto, na Lincoln Road. Ao chegarmos lá, tomamos um susto: havia mais de mil pessoas. Uma verdadeira idolatria. Nesse dia chegou um carro com vários seguranças mexicanos do empresário bilionário Carlos Slim para buscar 17 milhões de dólares em telas. Iriam para a casa de veraneio dele. Eu comecei então a enaltecer o Romero Britto, que sofria um baita preconceito no Brasil, assim como o Paulo Coelho, outro brasileiro de quem todo mundo insiste em falar mal por aqui, mas que é um tremendo sucesso mundo afora e um dos escritores mais vendidos no planeta.

– Quero tirar o chapéu para o Romero Britto e o Paulo Coelho, que são injustiçados no Brasil.

Boechat ficou furioso:

– Ô, Pitonisa, você pode entender muito de futebol, mas não vem discutir literatura e pintura comigo não! Aposto que você ganhou um quadro meia-boca dele para ficar fazendo esse discurso.

E eu depois caí na gargalhada, porque tinha recebido mesmo: é um quadro que o Romero fez para o meu livro.

* * *

Nossa parceria no rádio rendeu histórias lendárias. A ponto até de alguns fofoqueiros envenenarem o Boechat inventando que eu fingia ter conhecimento de times e jogadores antigos. Disseram que eu lia e decorava tudo. Ele então tentou me pegar no contrapé, ao vivo:

– Eu quero ver você escalar o time do América campeão carioca de 1960 e o do Bangu de 1966. Mas nem pense em enrolar para começar a falar! Tem que ser agora, rápido, sem pesquisar nem ler.

Eu peguei fôlego e disparei a falar os jogadores num ritmo acelerado, em poucos segundos.

– O time do América era Ari, Jorge, Djalma Dias, Wilson Santos e Ivan; Amaro e João Carlos; Calazans, Antoninho, Quarentinha e Nilo. E o do Bangu: Ubirajara, Fidélis, Mário Tito, Luís Alberto e Ari Clemente;

Jaime e Ocimar; Paulo Borges, Ladeira, Cabralzinho e Aladim.

Desde então Boechat nunca mais deu ouvido aos invejosos de plantão. E a gente continuou discutindo muito, eu sempre pegando no pé do Flamengo dele, mas tudo com bom humor – chegamos, inclusive, a fazer uma foto simulando um pugilato.

* * *

O horário entre 8h30 e 9h na BandNews – em que primeiro Boechat conversava com o José Simão e depois comigo – acabou se tornando o mais caro do rádio brasileiro. Era tão disputado por comerciais que volta e meia eu só conseguia entrar às 9h05 ou 9h07, e o Boechat pedia para ser rápido, porque já tinha estourado o tempo. Até que um dia eu brinquei com ele:

– Bom chá.

Como é que é? – ele estranhou.

– É que não dá tempo de dizer "Bom dia, Boechat".

* * *

Apesar de ter valorizado a grade da BandNews, Boechat nunca teve apego a dinheiro. Numa época em que na Globo muita gente estava fazendo merchandising ou indo para o entretenimento, ele se recusava a cogitar o assunto. A única coisa que aceitava era fazer palestras, e mesmo assim cobrando bem abaixo do mercado. A gente conversava um bocado sobre isso e eu insistia que ele era um nome muito maior do que eu. Portanto, não podia receber um quarto do que eu ganhava, como acontecia. Tempos depois, ele acabou reajustando o valor das palestras, mas ainda aquém do que merecia. Em paralelo, vivia ajudando maquiador, câmera, estagiário...

O desprendimento era tão grande que o apartamento que ele tinha em Nova York estava financiado por décadas pelo Banerj ou um desses bancos que já não existe há tempos. Isso mostra a lisura do Boechat.

Em Nova York, por sinal, a gente nunca se cruzou, mas eu brincava com ele sempre que viajava pra lá. Pedia para me emprestar a chave porque o meu fica no 67º andar e eu dizia que ia demorar muito a chegar. O dele ficava num dos primeiros andares. E até nisso eu o provocava: é que em Nova York o imposto equivalente ao IPTU não incide só sobre a metragem do imóvel, mas também sobre o pavimento em que ele se encontra. Quanto mais alto, mais caro – e eu aproveitava para tirar sarro dele.

* * *

Muita gente dizia que Boechat era reclamão. E era mesmo. Mas, ao mesmo tempo que cultivava a fama de mal-humorado, tinha um lado extremamente bem-humorado. Recentemente, num evento interno promovido pela Band numa casa de shows em São Paulo, ele foi chamado ao palco e sintetizou bem isso:

– Eu quero agradecer a todo mundo, mas principalmente ao departamento jurídico da Band. Se não fossem eles, eu estaria na cadeia com o Lula.

Pequenas vinganças contra um chefe genial

PATRICIA HARGREAVES

Trabalhou com Boechat na coluna "Swann", no "Globo", entre 1991 e 1993

Fazer coluna diária em jornal, TV, internet, a mídia que seja, é um processo penoso. Todo dia a mesma coisa: um buracão na página para encher, uma notícia para descobrir, uma informação para apurar, um furo para cavar. Essa tarefa poderia ser ainda mais cruel... se o Boechat fosse o chefe. Ele só trabalhava com o melhor: exclusividade, polêmica, surpresa. Era tentar emplacar uma "carne de vaca", que a lixeira logo se abria... Nos anos em que esteve à frente da coluna "Swann" (depois rebatizada com seu nome), o leitor só consumiu filé mignon. E, com isso, meus dois anos a seu lado foram um inferno, período no qual chorei pela única vez no trabalho (afirmo isso 28 anos depois). O nível de exigência de Ricardo Eugênio Boechat me levou ao desespero e me educou. Uma experiência que eu repetiria, a minha faculdade, o meu MBA em Comunicação.

Mas isso aqui não é uma babação de ovo. Ele detestaria que fosse. Portanto, vamos aos fatos. "Qual é o *lead*, Gorda?", ele me perguntaria com sua impaciência crônica e o apelido pelo qual me chamava mesmo depois que perdi 55 quilos.

Falamos de um tempo em que não havia celular. Entre 1991 e 1993. Aliás, mais adiante, conto uma história sobre o advento do aparelho no Brasil. Não havia Google. Linha direta de telefone na redação era um luxo: os ramais dominavam. Sentávamos eu, REB (a identidade dele no então novíssimo sistema de computação do jornal) e Angela de Rego Monteiro, subeditora da coluna e, por circunstâncias da vida, minha madrinha de batismo (da pia batismal mesmo). De camarote, eu assistia àquele animal da apuração trabalhando, equilibrando três telefones. De um ele levantava o bocal, para que o interlocutor do outro não percebesse que falava com uma pessoa diferente. No ombro, repousava o terceiro, geralmente aguardando que alguém lhe atendesse: *master multitask*. O bloco de apuração (muito antes da sustentabilidade surgir) era algum convite de evento (aos quais ele nunca ia): ali, naquele pedaço de papel pequeno, com uma caligrafia péssima e mínima, ele anotava o que ia apurando ao longo do dia. Uma rotina que começava às 10h (para mim) e só terminava depois do jornal ir para a gráfica, às 22h. Quando o bicho pegava, ele lançava mão de seus maravilhosos bordões: "Súcia, galés, remem", berrava para o jornal inteiro ouvir (e rir).

Ao fim de cada dia, durante os quais ele dobrava a cartilagem da orelha até que ela se encaixasse quase dentro do ouvido (e que na verdade lhe conferiu o calo que dizem que era fruto do tempo que passava ao telefone), catava, incrédulo, os cabelos que arrancava enquanto trabalhava e os que desistiam de ficar por cima daquela mente fervilhante. "Só os carecas sabem o quão gelada é a chuva", era outra frase maravilhosa.

Eu abria o expediente na coluna. Angela chegava na sequência e

REB, quase sempre, por último. Quando me via levantar para ir ao banheiro mais que duas ou três vezes ao longo das 12 horas de expediente, bradava: "Tá com cistite?". Eu levantava para almoçar ou lanchar e ele me azucrinava: "Depois não reclama que tá gorda" (nunca reclamei, diga-se de passagem). Além de implicar comigo, achava graça de fazer o mesmo com as minhas amigas. Quando uma delas passava, dizia para mim: "Essa está querendo dar, mas não sabe oferecer". Claro que a moça ouvia. Se não ouvisse, eu contava. Eram minhas pequenas vinganças. Mas a maior de todas as revanches eu guardava para quando ele me aloprava. O diretor de redação, o temido e respeitado Evandro Carlos de Andrade (o ECA, que chamava o Boechat de "meu garoto de ouro"), havia banido o cigarro da redação e instituído o que ele chamava de "fumoir", que logo virou fumódromo mesmo. Fumante inveterado, Boechat enlouqueceu com a nova regra. Para driblar a ordem, escondia na sua gaveta um cinzeiro. Quando a vontade apertava, sentava DEBAIXO de sua mesa e fumava calmamente, e me pedia para avisar se o ECA se aproximasse. Quando ele me enchia a paciência, além do normal, eu fingia não ver o todo-poderoso chegar. Invariavelmente o ECA ensaiava uma bronca, fazia cara de mau, mas terminava rindo da travessura.

Você já deve estar pensando: essa mulher é masoquista... Só detonou o cara até agora e o adora. Nem só de exigência era feito REB. Independentemente de ser chefe, ele era um parcerão. Se você precisava de uma ajuda na apuração de uma notícia e ele tinha a melhor fonte do setor, o Boe apurava e entregava o resultado, de bandeja. O vi fazendo isso diversas vezes. Para todas as editorias do jornal. E nem assinava a matéria: só pela alegria de desvendar algum mistério. "É dura a vida de bailarina", dizia, diariamente.

Assim como, quando não estava satisfeito com o teor de uma nota, ele avaliava: tem uma coisa aqui, mas esta não é a notícia. Ia lá e reescrevia, apurava algo a mais, até que o bicho tomasse a forma que considerava interessante. Aqui, outra vingança. Interessante, para ele, em termos de notícia, tinha nome e sobrenome: "Interessante é o cu do elefante".

Ao me ver sofrer na mão de alguma fonte (por pura inexperiência), pegava o telefone e corria atrás ele mesmo. "Gorda, saber assuntar é meio caminho andado. Se você demonstra que está insegura, a fonte não te respeita". Maior que a careca e os olhos azuis, só o coração.

A ECO-92 ia começar e o então presidente da Telerj, Eduardo Cunha, visitou a redação. De dentro de uma mala 007, sacou diversos celulares, aparelho que faria sua estreia no Brasil durante o evento mundial. A ideia de Cunha era distribuir o jabá e ganhar a simpatia de quem lhe interessava. Dava a desculpa que era para os jornalistas experimentarem a nova tecnologia. Boechat quase jogou o dele na cabeça do neopolítico. "De jeito algum". E assim foi. Câmbio. Desligo.

Durante um jantar na casa de amigos, eu soube que um banco (estrangeiro) estava às turras com um de seus maiores clientes (uma multinacional). O motivo: havia acabado de acontecer um daqueles planos econômicos em que se cortavam três zeros da moeda. Pois bem. A empresa tinha liberado o dinheiro para que o banco efetuasse o depósito na conta-salário de seus funcionários. A fonte dizia que o banco havia comido bola e repassado os ordenados mantendo os zeros. Os funcionários ficaram milionários de uma hora para a outra. A empresa, com um rombo sem precedentes na conta. E o banco, com o maior pepino de sua história. Eu contei para o Boechat e pedi ajuda. Ele passou a mão no telefone e ligou para o presidente do banco. Depois de uma introdução amistosa, mandou: "Que merda, hein? Vocês já sabem como vão repor os milhões que perderam? E ainda estão dizendo que a empresa vai trocar de banco". O banqueiro gaguejou e contou todo o seu lado da questão. O da multinacional foi fácil de apurar: bastou falar com alguns funcionários "milionários". Esta foi uma das poucas vezes em que recebi os parabéns. A coluna estampou a primeira página do "Globo". Ao chegar à redação, no dia seguinte, Boechat olhou o jornal e disse: "Esse já está a caminho da peixaria. Vamos atrás do próximo".

Era um março abafado e só chovia. Eu morava em Ipanema. Boechat, no Leblon. Eu tinha carro. Ele, não, e por isso pegava carona quase diariamente comigo. Naquele Uno branco, que também levava mais gente, REB fazia minhas colegas morrerem de rir. Só dizia absurdos. No trânsito, éramos somente amigos. Naquela noite de março, quase na hora de irmos embora do jornal, demos uma passada no aquário para vender uma chamada para a primeira página. Em cima da mesa, estavam as fotos que estampariam a manchete sobre o temporal. Um carro boiava diante de um botequim inundado, com todos os fregueses olhando a cena, sentados no balcão, com os pés nos bancos. O Boe olhou e mandou: "Gorda, esse botequim aí é o Felipe *(bar embaixo da sede do 'Globo')*. Esse não é o seu carro?". Era. Ele pegou um balde, dobrou as calças e esvaziou o carro pra mim. Quando só faltava um pouquinho de água, me chamou para ajudar: "Ei, não vai ficar aí olhando, se aproveitando de mim". Ele gostava de sua fama de mau. Entramos no carro, os dois empapados de chuva. Eu ainda tinha um jantar e não ia dar para passar em casa. Quando desceu do carro, disse: "Espera aí que vou te mandar um negócio. Você não pode ir para um restaurante assim, vai ficar doente e faltará amanhã". Ele subiu na sua casa, foi pra janela e gritou: "Gorda, toma um sapato!". Jogou no carro um par de mocassins 42 marrom. Quase amassou o capô. E eu fui jantar. E trabalhar no dia seguinte. Naquele carro, também, ele se deitou no banco de trás, para passar despercebido por uma criatura que vivia a persegui-lo, por motivos pessoais. "Posso levantar?". Espera que ainda dá para ela te ver, respondi. Não dava. Vingada, de novo! Como ele dizia sobre si mesmo: bem-feito, todo castigo pra corno é pouco.

A última vez que nos vimos foi em São Paulo, onde já morávamos, no segundo turno das eleições presidenciais de 2014. Parada no trânsito, olho para o lado e vejo o Boe na porta de uma escola nos Jardins. Dei um grito "Careca, sou eu, a Gorda". Desde que perdi muito peso, costumo me anunciar para evitar que a pessoa fique constrangida e não saiba de quem se trata. "Não, você é a Angelina Jolie e eu sou o Brad Pitt, sua palhaça! Acha que eu não te reconheceria?". Pois eu reconheço você, REB, o mais genial de todos os meus chefes. Eu posso ouvi-lo: toca o barco.

Lições de vida

RODOLFO SCHNEIDER

Diretor de jornalismo da Band no Rio, dividiu com Boechat a apresentação do "BandNews Rio" todas as manhãs, entre 2007 e 2019

Tive o privilégio de conviver por tanto tempo e tão de perto com o Boechat. Foi meu mestre. Era uma relação de aprendizado permanente, lições de jornalismo, de vida, de generosidade e ousadia. Não havia um dia igual ao outro. Tudo era sempre novo e surpreendente. Foram 14 incríveis anos de convivência diária, duas horas no ar e outras tantas ao telefone.

Conheci Boechat em 2004. Eu era estagiário, fazia radioescuta, e ele, diretor de jornalismo da Band, função que hoje eu exerço. Boechat – ou Careca, como eu o chamaria só muito tempo depois – ocupava uma sala em diagonal à minha, vivia com a gravata para trás e estava sempre com dois telefones no ouvido. Eu tinha admiração e medo. De longe ouvia suas broncas, que tempos depois passaria a experimentar na pele.

Um dia ele me chamou e pensei: "Xiiiii... o que fiz de errado?". Ele me entregou um calhamaço de umas 200 páginas que havia recebido do Ministério Público sobre irregularidades na BR-40 e falou: "Meu príncipe, lê isso aí e vê se tem notícia". Passei a madrugada em claro e na manhã seguinte disse que já tinha lido. Ele demonstrou espanto: "Tudo???". Propus então que uma equipe fosse a um determinado posto em Juiz de Fora. A matéria ocupou um bom espaço no "Jornal da Band" e o pessoal de São Paulo gostou. Foi a primeira vez que Boechat olhou pra mim como alguém que poderia contribuir dentro do que ele esperava.

A BandNews FM foi criada em maio de 2005, e eu me formaria dois meses depois. A TV não tinha vaga e por sorte, com a inauguração da rádio, pude ser contratado como produtor do programa que ele apresentaria. A ideia de Boechat comandar um programa diário foi do Daruiz Paranhos, diretor-geral da Band. Meio na marra, contra a vontade dele, Daruiz botou o Boechat no ar, inicialmente das 9h às 10h. Nascia ali o fenômeno. Anos depois, passei também a ancorar o programa.

Boechat sempre foi muito intenso. Sua fixação era o ouvinte. Tinha devoção por cada um deles; vivia preocupado em dar retorno e ajudá-los em suas demandas. Se preocupava até com coisas que não eram temas do programa, como um pedido de alguém que ligava para a rádio. Bastava o sujeito contar uma história triste para mobilizar o Boechat.

Ele fazia qualquer coisa pelo ouvinte. Não importava se, para isso, tivesse que enfrentar uma autoridade, ou quem quer que fosse. Brigou, por exemplo, com Sérgio Cabral numa época em que era o rei do Rio e ninguém batia nele. Chamava o então governador Cabral de bandido para baixo.

Era duro também com a equipe, mas justo. Se achasse que alguém não estava mostrando seriedade e a entrega que ele esperava, adeus. Ele dizia: "Dou meu celular no ar, respondo mensagem de madrugada, trabalho pra caramba e não posso aceitar isso. Ou vai fazer igual a mim ou mais do que eu. Ou não quero na equipe, prefiro trabalhar sozinho".

Boechat era um ser destituído do sentimento de rancor. Ao contrário. A generosidade e o companheirismo sempre foram suas marcas. Enquanto a concorrência desqualificava a notícia exclusiva alheia e destacava apenas o que era produzido em casa, Boechat dava crédito para todo mundo. Citava os respectivos veículos, elogiava o trabalho de concorrentes diretos e nos orientava a valorizar repórteres e fotógrafos de qualquer empresa que fizessem um bom trabalho.

E foi assim, aliando sua imensa capacidade de se comunicar ao fortalecimento dos laços com os ouvintes, além de contar com um time unido, que Boechat formou sua audiência e se transformou num dos grandes expoentes da história do rádio. Ele conseguiu mostrar para o público que não falava da boca para fora. Criou, dessa forma, uma relação de confiança com centenas de milhares de pessoas em todo o país.

A solidariedade era outra marca registrada de Boechat. Ele ajudava um monte de gente sem pedir nada a ninguém. Certa vez, me confidenciou que fazia eventos – como o do laboratório em que deu a palestra naquela trágica segunda-feira – para ter mais dinheiro e, com isso, poder ajudar mais gente. Mantinha sempre à mão um caderninho com a relação de pessoas que socorria mensalmente: pagava tratamentos, estudo, alimentação... E isso não começou na rádio. Embora ele quase não falasse sobre o assunto, sabíamos que já agia assim muito antes de ter um bom salário.

O Careca era um exemplo de jornalista e de ser humano. Costumava recorrer a exemplos para embalar as inúmeras lições que nos dava. Me dizia: "Alemão, não podemos errar nenhum detalhe nas matérias. Se você denunciar o caso de dois homens que estupraram uma menina e falar que a calcinha era amarela, e depois for comprovado que era rosa, os bandidos vão desconstruir a sua tese, usar o nosso trabalho contra a vítima e se apegar no nosso erro para justificar que não houve estupro".

Nossa relação era tensa. Nunca entrei no ar tranquilo. Boechat exigia excelência, retorno e dava bronca no meio do programa. Às vezes, quando eu achava que passava do ponto com a equipe, falava com ele depois do programa, reservadamente.

Nosso entrosamento surgiu com a convivência diária. Boechat ancorava de São Paulo e eu, do Rio. Com o tempo, passei a perceber até a respiração dele. Num determinado dia, cada um no seu estúdio, houve um problema com o sinal. Ele achou que tínhamos saído do ar e usou todos os palavrões do mundo para protestar contra a falha técnica. Eu o alertei: "Boechat, estamos no ar". Ele deu um soco na mesa, saiu do estúdio e foi embora. Na manhã seguinte, desculpou-se ao vivo. Para surpresa geral, os ouvintes apoiaram e vibraram com seu desabafo de baixíssimo calão.

Boechat era assim, reagia a tudo na hora. Para ele não havia o depois. Quando eu recebia reclamações de figuras públicas do Rio, argumentava que Boechat não fazia carga contra ninguém. Mais ainda: que não havia ninguém por trás dele mandando bater em fulano ou sicrano. Ele abria o verbo em função de sua indignação com determinada situação.

Essa sua postura, porém, tinha um preço: os processos judiciais atingiram a marca de duas centenas nos últimos anos. Boechat dava trabalho para os advogados da Band. Perdeu alguns e foi condenado a doar cestas básicas. Mas não tinha qualquer receio. Quando surgia algum novo processo, ele dizia no ar: "Você pode me processar e vai ficar na companhia do bicheiro Maninho, do matador tal, do político corrupto

X ou do assassino Y. E o fato de estarmos em lados opostos deixará claro que somos muito diferentes".

Boechat tinha consciência de que exagerou a mão no trabalho e também usava isso como exemplo. Dizia que saiu de casa quando os filhos eram pequenos e que não os viu crescer: trabalhava dia e noite, chegava cansado e não tirava férias. Enumerava tudo isso para me dizer: "Não faça como eu, porque a vida vai te cobrar lá na frente. Curta os seus filhos, a família. Trabalhe muito, mas não deixe tudo de lado".

No sábado, dois dias antes de sua morte, nos falamos bem cedo. Ele me telefonou para dizer que um pessoal o havia procurado se oferecendo para doar sangue. Eram pessoas humildes da Ilha do Governador, que precisariam só de transporte. "Arruma um ônibus que eu pago", ele disse. Liguei por volta do meio-dia e contei que tinha dado tudo certo, que foram todos ao Hemo Rio, que tiramos fotos e tal. Boechat ficou feliz, adorava retornos como esse. Nos despedimos. Ele disse para eu ir descansar, porque na segunda-feira estaríamos no ar novamente. Eu, então, o lembrei que entraria de férias por uma semana. Ia viajar no dia seguinte, domingo, para Trancoso, na Bahia. Ele me incentivou: "Vai lá, curte sua família, você merece". Foi a última vez que nos falamos.

Estava numa praia linda chamada Rio da Barra, com os meus filhos, quando recebi a notícia de que havia perdido meu segundo pai. Saí do paraíso para o inferno em segundos.

Eu me lembro de Boechat todos os dias. Guardo com muito carinho e reverência uma pasta só com e-mails dele. Há broncas, observações, orientações e lições de vida. Não tem sido fácil tocar o barco, mas vamos em frente.

Uma coragem incomum na vida e na profissão

RONALDO HERDY

A partir de 1978, acompanhou Boechat em cinco veículos diferentes por 28 anos, quase ininterruptamente

Aos 19 anos, estagiário no "Jornal do Commercio", por indicação de Aníbal Ribeiro, fui ao escritório de Ibrahim Sued, seu amigo, no Centro Comercial de Copacabana, com uma promessa de emprego. Estudante do segundo ano de Jornalismo na PUC, estava entusiasmado com a oportunidade de trabalhar com o ícone do colunismo à época e aumentar a minha renda. Toquei a campainha. Um contínuo abriu a porta de gosto discutível, feita pelo entalhador Batista, e me levou até o jornalista. O papo durou uns 15 minutos. O salário? Metade do que dissera o meu padrinho. Descobri assim, rápido, a primeira faceta do Turco, meu novo patrão.

No dia seguinte, voltei ao escritório, onde tive meu primeiro encontro com Ricardo Boechat, a quem havia cumprimentado muito superficialmente 24 horas antes. Ele foi gentil e sincero: "Herdy, o esquema aqui é o seguinte. Muita batalha pela exclusividade da informação. E, se você sobreviver à primeira semana, irá longe". O prazo curto estava associado a nenhuma disposição do Ibrahim em orientar – embora exigisse bastante. As pessoas iam embora por não aguentarem a pressão – ou eram demitidas.

No escritório era feita a coluna diária publicada em "O Globo". Com o Turco ortodoxo e o Ricardo gentil, tive um grande e rápido aprendizado. Eu e o Boechat ficávamos numa mesma área física e os toques sobre como trabalhar ali vinham quase todos os dias de quem aprendera antes a lidar com um patrão da pesada. Ele corria atrás de furos e tinha um esmero pelo texto, embora apregoasse sua dificuldade com a fluência do que escrevia. Conversa. Foi ali que as orelhas do Ricardo começaram a ficar amassadas, já que a rotina era falar em dois aparelhos de telefone fixo ao mesmo tempo. Ibrahim exigia que colocássemos em cima das notas os nomes das fontes. Ricardo me ensinou a "omitir" esse detalhe ou, pelo menos, toda a verdade. "Quando a pessoa consultada está na lista negra do Turco, ele joga a lauda fora. Devemos sempre pensar na notícia".

Ali ficamos por cinco anos, aproximadamente, quando Ricardo decidiu ir embora após uma crítica – injusta – do nosso patrão. Creio que o Ibrahim se arrependeu, mas nunca deu o braço a torcer e se desculpou. Eu sugeri ao Turco que ligasse e o convidasse a voltar. Em vão. Mas o que para o Ricardo já era um bom início de carreira, logo se tornaria algo muito maior.

Seguimos juntos pelo "Globo", "Bom dia Brasil", "Jornal do Brasil", "O Dia", e quis a vida que essa trajetória se interrompesse na "IstoÉ", onde ingressamos em maio de 2008. Ricardo sempre teve uma relação franca e aberta com a equipe. Era um líder confiável, talentoso e generoso. Em certa ocasião, no diário da família Marinho, abriu mão de um reajuste de salário oferecido pela direção do jornal depois de alertada de negociações para trocar de empresa. Decidiu ficar, contudo, na condição de que o valor do aumento fosse dividido em partes iguais entre os três membros do time. "Já ganho bem aqui", disse, com aquele sorriso inconfundível, ao nos comunicar a correção que teríamos no contracheque.

Na redação da Rua Irineu Marinho 35, ele tornou-se uma espécie de ONG. Tinha brilho próprio. A redação adorava suas brincadeiras e o respeitava pelo profissionalismo. Também fazia suas pirraças. Quando um diretor de redação reclamou que os jornalistas falavam e riam alto, Ricardo, com habilidade incrível para desenhar, fez o rosto do personagem infantil Gasparzinho, circulou toda a volta e colocou uma linha transversal, dessas usadas em placa de estacionamento proibido. "Que bobagem", exclamou. E colou o desenho no alto do seu computador, onde ficou por semanas.

O seu esmero em redigir muitas vezes resultava em atraso no fechamento da coluna. Em certa ocasião, o então secretário de redação Celso Itiberê, cheio de dedos, veio perguntar se faltava muito, pois precisava baixar as páginas. Ricardo parou, olhou para ele de cima a baixo e, sem alterar a voz, disse: "Itiberê, se você continuar em pé atrás de mim, vou ficar nervoso e atrasar ainda mais, agora de propósito. Quantos idiomas você fala? Francês, inglês?... Então pega um livro e folheie. Logo termino". Lá se foi o Itiberê.

Ricardo se dava bem com todos os funcionários. Os contínuos adoravam a proximidade do Natal. Os presentes que recebia, ele repartia com todos. Aliás, os contínuos muitas vezes eram também uma espécie de validadores de textos. Diante de uma narrativa que soasse formal, Ricardo chamava "um dos meninos" e lia a notícia. Depois perguntava: "Você entendeu isso?". Se a resposta fosse "não", lá ia ele lapidar a nota.

Quando foi demitido, me ligou, em lágrimas, dizendo que jamais tinha feito pactos com fontes que não fossem em prol da notícia apurada limpa, correta e ética. Foi interessante acompanhar a cobertura que sua morte teve nos veículos das Organizações Globo e a apuração em torno do acidente. Pareceu reparo.

Ricardo exerceu a profissão com competência, contundência e ética, sempre tendo como norte o compromisso com a verdade. O jornalismo perdeu um talento de sua geração, que vivia um momento de reconhecida glória na carreira. O multimídia parceiro, no sentido real da palavra, sabia tratar a informação e fazê-la chegar compreensível ao público.

No "JB", igualmente testemunhei, assim como em outros lugares, cenas de absoluta determinação e coragem. Em certa ocasião, exercendo a função de diretor de redação, quando o dono do jornal lhe pediu que demitisse vários jornalistas – já tendo a empresa um quadro enxuto de profissionais –, Ricardo usou uma das muitas metáforas com que reforçava os seus argumentos: "Nelson *(Tanure)*, você pensa só no dinheiro. Não é assim. Imagine a redação como uma criação de patos. Em certa hora, ao ver o custo, você pensa em dar pedra para as aves, em vez de milho. O gasto cairá por um tempo, mas, como pato não come pedra, em pouco tempo a criação inteira morrerá. Não se faz jornal sem jornalistas". Ato contínuo, pediu demissão do posto e rompeu uma velha amizade com o empresário.

Também no "JB", em certa ocasião, José Antônio do Nascimento Brito, filho do dono do jornal, ligou para reclamar de uma nota que eu escrevi, a respeito de sua saída do Conselho de Administração do MAM. "Essa informação não deveria ter sido publicada", acentuou. Ricardo não mediu palavras: "Josa, você e os Marinho só são notícias em minhas colunas quando relacionados a algum fato importante. Sua demissão de um dos mais renomados museus do país se encaixa nesse ponto de vista. Outra coisa. São 9h30 da manhã. O que você fará logo mais, por volta das 19h? Talvez esteja bebendo um uísque 18 anos. Eu vou estar aqui, trabalhando na redação. Deixa eu cuidar do meu serviço". E desligou o telefone.

Ao longo dessas décadas de convívio, eu e o Ricardo trocamos muitos telefonemas e e-mails. Não há espaço para relembrar tudo, naturalmente. Uma vez, ao ouvir um argumento meu de que havíamos conseguido uma ótima informação para a "IstoÉ", mas sem a certeza documental, mandou essa: "Se provas fossem requisito básico para as denúncias que publicamos, boa parte de nossas colunas sairia em branco. E muitos furos estariam perdidos. À fonte, exigimos notícia. O resto é conosco".

Num outro momento, em março de 2016, ele me passou um texto sobre uma conversa do então diretor-geral da Polícia Federal e um ministro da Justiça. Como eu tinha excelente contato na pasta, indaguei se queria uma verificação extra. Outra vez, a resposta de Ricardo veio com uma clareza ímpar: "Herdy, não fique em dúvida. A minha fonte é Deus".

Ainda na "IstoÉ", ele, que morreu num evento promovido por um laboratório, escreveu uma notícia que se mostrou imprecisa. Outra qualidade do Ricardo sempre foi corrigir de pronto os seus erros – e exigir que a equipe fizesse o mesmo. Abaixo, o fato em 2015:

> **Hepatite**
> **Melhor ainda**
> *Jornalistas detestam desmentidos. É natural, pois notícia errada é o que de pior pode acontecer aos desta tribo. Mas, por incrível que pareça, há desmentidos que até devem ser comemorados. Como este: a coluna errou, na edição passada, ao informar que o remédio Daklinza, que a Anvisa liberou em rito sumário e que o SUS deverá distribuir, "cura a Hepatite C em 24 meses". Nada disso. A cura ocorre em tempo bem menor, entre 12 e 24 semanas. Três milhões de brasileiros são vítimas da doença.*

Junto com o charmoso reparo, o Ricardo me escreveu o seguinte: "A fonte sobre os países onde o remédio é vendido foi o próprio laboratório. Lembro de ter anotado os EUA na lista, além de Japão, Alemanha e outros... Quanto ao tempo para cura, foi erro meu – coisa de filho da puta gagá... Quando estava apurando a nota, o médico me corrigiu duas vezes diante do mesmo erro. Eu dizia '24 meses' e ele '24 semanas'. Pois ao escrever a porra do texto, ou ditar, não lembro, voltei a fazer cagada..."

Em dezembro de 2009, eu lhe escrevi para desejar boas festas e lembrar a data de fechamento de uma derradeira edição. Ele respondeu: "Cascão *(esse apelido carinhoso me colocou ainda no escritório de Ibrahim Sued, quando eu pedia quentinha no almoço e comia no banheiro para o Turco não ver – e reclamar)*, terei um Natal naquele padrão de 'a grande família', com dona Mercedes e sua culinária no comando. Um calor de foder, para variar. Mas bebida gelada e muita gritaria. Ou seja, mais normal do que nunca. Para o seu lado, espero que esteja tudo bem – e mais calmo. Vou me dedicar à apuração amanhã. Vamos manter o esforço de sempre, honrando nossas tradições milenares, dentro do horário pedido".

Em abril de 2009, o consultei a respeito do interesse de uma grande editora num livro sobre sua trajetória, contando como apurou determinadas notícias, o caminho para chegar à informação etc. Ele voltou com esse comentário: "Cara, livro é roubada. Não dá grana, dá mixaria. E não dá trabalho, dá um PUTA trabalho. Não diz nada para não parecer grosseria minha. Mas um projeto desses eu só aceito em duas condições: uma grana fora dos padrões (e não vejo razão para que a ofereçam) ou um projeto irresistível (que duvido existir)".

Um ano antes, o Ricardo me escalou para, no Rio de Janeiro, ir receber uma láurea que lhe foi outorgada. Outra vez o seu bom humor prevaleceu: "Cascão, me pediram muito para não deixar de receber o prêmio. Argumentei que estou em SP e não posso me ausentar etc. Pediram que mandasse um amigo à cerimônia para fazê-lo em meu lugar. Existe alguma chance disso acontecer? Numa boa, se você também achar que é dose, eu dou uma cambalhota nos caras. Ou mando minha mãe lá... Aí é que eles vão ver o que é bom pra saúde...".

Para finalizar, dois relatos. Em dezembro de 2015, o Ricardo me brindou com um significativo bilhete, que agradeci, depois que ele empreendeu uma ação a meu favor na "IstoÉ", com resultado positivo: "Casca, acredite: não se trata de ter feito algo por você. Só uma redação sem noção das coisas abriria mão de uma puta velha com seu caderninho. Fiz um favor, sim. Mas à 'IstoÉ'".

No ano passado, eu informei ao Ricardo estar com um problema de saúde. Ele primeiro se inteirou do caso, depois fez tudo para eu ir me tratar em São Paulo, mas, por ser caso de maior duração, preferi o Rio de Janeiro. Ele fez questão de indicar um profissional (Dr. Gilberto Salgado) e acompanhou tudo até antes de ser vítima de uma tragédia que comoveu o público, por se tratar de um ícone da imprensa. A morte repentina me doeu muito; levou de um instante para o outro o carinho e a amizade que se renovavam a cada contato. Ousado, corajoso e talentoso, sinto falta das conversas e dos textos produzidos a quatro mãos, da nota passada por ele nos intervalos do "Jornal da Band", de dentro de um avião ou muitas vezes entre um deslocamento e outro no trânsito. Como dizia o sempre aguerrido Ricardo: "Toca o barco, Herdy". Tenho tentado fazer isso...

Muito além do seu quadrado

ROSANGELA HONOR

Fez parte do time de Boechat na sucursal carioca do "Estadão", entre 1987 e 1989, e em sua coluna no "Globo", entre 1995 e 1998

Em uma época em que temas como racismo, machismo, questões de gênero e desigualdade social não estampavam as manchetes de jornais e muito menos eram discutidos abertamente em qualquer ambiente, nem mesmo nas mesas de bares entre goles de cervejas estupidamente geladas, eu era uma jovem negra, de origem simples, nascida e criada no subúrbio do Rio de Janeiro. E, devo confessar, com um grau de ingenuidade fora dos padrões para uma moça da minha idade em meados da década de 1990. Foi nesse cenário e com esse perfil que me tornei integrante da equipe de colunistas de um dos jornalistas mais badalados daquele momento. Ricardo Boechat vivia uma fase de ascensão em sua vitoriosa trajetória profissional. Sua coluna no jornal "O Globo" era um dos espaços mais cobiçados por políticos, artistas e assessores de imprensa. Além disso, ele começava a brilhar como jornalista da TV Globo.

Toda essa história que pode parecer um enorme nariz de cera – jargão usado nas redações para explicar que um jornalista está enchendo linguiça no lugar de relatar de primeira a parte mais importante da notícia – nada mais é do que um artifício para contextualizar que eu havia sido contratada para trabalhar num dos principais veículos do país, convidada por um jornalista que era uma referência e num dos espaços mais nobres do jornal. Detalhe: eu era uma das pouquíssimas jornalistas negras na redação de "O Globo", formada, à época, majoritariamente por repórteres brancas e de classe média.

Desnecessário ressaltar que nenhuma negra circulava num ambiente com essas características impunemente. E ter vivido essa experiência fez toda a diferença na minha vida pessoal e profissional. Sem contar o enorme aprendizado que foi trabalhar com Ricardo Boechat – uma experiência inquestionável e que não tem preço. Foi assim que me reconheci como uma mulher negra que precisa se impor a duras penas para ser respeitada por seus pares.

Pois é. Foi com aquele sujeito de temperamento forte, exigente ao extremo, muitas vezes implacável, mas de um coração gigante, que eu aprendi a me valorizar como jornalista e como mulher. E, mais do que isso, a descobrir que o meu tom de pele não era o termômetro da minha capacidade profissional. Trabalhar com o Careca e desfrutar de sua inteligência desconcertante foi um dos maiores privilégios que tive na vida; que me perdoem os outros chefes que permearam a minha trajetória em diversas redações, mas Ricardo Boechat era o cara. Talvez, mesmo sem ter consciência naquele momento, e a seu modo, ele tenha sido um defensor da causa negra ao contratar, em duas oportunidades distintas – a primeira para trabalhar como repórter da sucursal do jornal "O Estado de São Paulo" – uma jornalista negra para a sua equipe. Era, sem dúvida alguma, a maneira que ele encontrava para aplacar seu inconformismo com as desigualdades e minimizar as contradições dessa injusta pirâmide social.

Não foram poucas as vezes em que Boechat saiu em minha defesa ao perceber que eu estava sendo vítima de preconceito, até quando eu mesma não me dava conta da situação. E a forma que ele encontrava para demonstrar que eu não podia admitir qualquer atitude preconceituosa, pelo fato de ser uma moça de origem simples e negra, era sendo duro comigo, me cobrando posicionamentos. Quando alguém tentava me subestimar ao telefone querendo "vender" uma nota que não se enquadrava no perfil da coluna, ele, sentado à mesa em frente, praticamente gritava para que eu entendesse que aquilo era um abuso do meu interlocutor.

– Desliga, você é uma profissional, cara, não pode perder seu tempo com quem não está respeitando o seu trabalho, o seu tempo e muito menos você – bradava, esboçando seu inconformismo.

Era assim que Ricardo Boechat me ensinava diariamente que eu precisava me impor diante do machismo e do preconceito velado que existiam naquele período e que, para a minha tristeza, persiste até hoje. Basta contabilizar quantas vezes Maria Júlia Coutinho, a Maju, já foi atacada por quem não suporta ver uma mulher, principalmente negra, em posição de destaque.

Não à toa cito Maju como símbolo, não só dos casos de racismo, mas também dos de machismo e assédio pelos quais nós jornalistas mulheres – não só as negras, evidentemente – passam ou passaram em suas carreiras. Uma pesquisa da Associação Brasileira de Jornalismo

Investigativo (Abraji) e da Gênero e Número, divulgada em fevereiro de 2018, com 500 jornalistas brasileiras, revelou, entre outros dados, que 83,6% já sofreram algum tipo de violência psicológica, enquanto 65,7% tiveram sua competência questionada. O estudo apontou ainda que 86% passaram, pelo menos uma vez, por situação de discriminação de gênero no trabalho.

É por este motivo, entre muitos outros, que enfatizo o respeito pelo qual sempre fui tratada por Ricardo Boechat, que em vários momentos demonstrou preocupação com minha integridade física. Recordo como se importou ao ter conhecimento de que eu precisava atravessar boa parte da Avenida Brasil até chegar à Vila da Penha, de ônibus, após sair em horários avançados do jornal. À época, eu tinha um carro velho, em condições tão precárias, que era impossível usá-lo para me deslocar até a sede do "Globo", na Rua Irineu Marinho, no Centro do Rio. Boechat ficava inconformado. Assim que encontrou uma oportunidade, deu um jeito de reverter aquela situação que me deixava tão exposta. Ao saber que Adriana Barsotti, nossa colega de equipe e minha amiga queridíssima, estava vendendo seu carro, um Fiat Uno Mille – que Adrianinha havia comprado de segunda mão, mas praticamente novo –, questionou por que eu estava tão indecisa sobre a proposta para ficar com o possante.

– O que falta para você comprar a merda deste carro? – indagou, com aquele jeitão meio desbocado.

– Não tenho dinheiro suficiente – retruquei.

Insatisfeito com o que ouvira, ele insistia:

– Mas de quanto você ainda precisa para comprar o carro? Diz logo pra gente encerrar este assunto!

E não se deu por vencido até me convencer a aceitar um empréstimo que seria pago em suaves parcelas, por exigência dele, para que eu conseguisse honrar meu compromisso sem colocar em risco o meu orçamento mensal. É que, naquela época, eu morava com a minha mãe e meu irmão caçula e, na prática, era a chefe da família. O mais surpreendente dessa história é que, mesmo depois de ter comprado o carro, eu me sentia insegura para fazer aquele longo trajeto. Irritado com a minha atitude que evidenciava uma ponta de fraqueza, ele foi implacável.

– O que está faltando agora para você vir trabalhar com o carro? – perguntava a todo instante.

Tentando escapar do enquadramento dele, eu argumentava que os estacionamentos próximos ao jornal eram caros, e que a despesa ficaria muito alta. Diante de uma desculpa que não fazia o menor sentido depois de todo o empenho que fizera para me dar um pouco mais de segurança na minha ida e volta ao trabalho, Boechat se calou. Levantou-se da cadeira e foi caminhando em direção ao aquário – maneira como é chamada a sala da diretoria do jornal. Voltou de lá com a seguinte novidade: a partir daquele dia, eu poderia usar o estacionamento do pátio interno do jornal, um espaço reservado somente aos diretores e editores. Como ele não ia de carro, pediu autorização para que eu pudesse ocupar a vaga a que tinha direito.

– Olha aqui, agora não tem mais desculpas. A partir de amanhã ou você vem de carro ou está demitida – disse, tentando sustentar um ar ameaçador.

Essa é apenas uma das muitas histórias que vivi com Boechat e que evidencia o jeito que ele encontrava de promover a empatia, se colocando no lugar do outro. Uma maneira de minimizar a desigualdade social sofrida pelas pessoas por quem tinha afeto.

Ricardo Boechat era um cara muito observador. Desde que começamos a trabalhar juntos, ele percebeu o quanto a minha autoestima era baixa naquela época. Com seu jeitão escancarado, tentava levantar a minha bola, algumas vezes com palavras tão diretas que me deixava sem ação.

– Olha só, trata de valorizar a mulher que você é, não fica se escondendo do mundo. O tempo passa rápido, Honor.

E danava a fazer elogios para aplacar a minha insegurança, abalada pelas minhas vivências. Dono de uma sensibilidade aguçada, ele notava o quanto aquele ambiente, muitas vezes hostil, me intimidava.

Em outra ocasião, ao notar que eu me sentia desconfortável com a estética dos meus dentes, e sem dinheiro para fazer um tratamento ortodôntico de qualidade, encontrou uma forma de novamente me ajudar. Ligou para a dentista que atendia a ele e aos filhos, num consultório em Copacabana, e a convenceu de fazer o meu tratamento por um valor abaixo do cobrado aos outros pacientes. Em pouco tempo a mudança se tornava perceptível e Boechat sorria com aquele olhar de cumplicidade a cada vez que ouvia alguém me fazer um elogio. Nunca vou esquecer o quanto esse movimento feito por ele foi transformador para minha autoestima, o quanto fez com que eu me sentisse mais segura diante dos outros colegas da redação e na minha vida pessoal.

Boechat era, acima de tudo, um cara muito divertido e avesso às diferenças, fossem elas sociais ou de qualquer ordem. Muitas vezes provocava gargalhada na redação ao avaliar, na hora do fechamento da coluna, as notas que considerava elitistas. Costumava dizer que notícia boa era aquela que podia ser assimilada por uma pessoa de qualquer classe social. Ao se deparar com uma nota muito complexa, e de difícil entendimento, ele saía indagando aos contínuos e a outros colegas de redação se haviam entendido ou se já tinham ouvido falar do assunto. Tudo isso com muito bom humor e uma fina ironia.

– Honor, a dona de casa da Tijuca precisa compreender a nota. Se ela não entender, não presta – dizia, demonstrando sua preocupação em não restringir o alcance da informação.

Boechat não foi uma unanimidade, e não tenho dúvidas de que esse nunca foi seu objetivo de vida. Mas, com certeza, fez a diferença na vida de muitas pessoas, e a minha foi uma delas. Se hoje tenho segurança para ser uma empreendedora à frente de uma agência de comunicação, Boechat faz parte disso. Desde a manhã do dia 11 de fevereiro de 2019, quando aquele helicóptero explodiu, não paro de pensar no privilégio que tive ao desfrutar de sua convivência. Ricardo Boechat foi muito mais do que um dos maiores jornalistas que este país conheceu. Ele foi um homem que olhava além do seu quadrado e que se preocupava com o ser humano, independentemente de seu status social.

CLÁUDIO DUARTE

Entre 1989 e 2001, fez ilustrações quase diárias na coluna do Boechat no "Globo"

Ainda nos tempos da "Coluna Carlos Swann", uma das notas trazia sempre a ilustração de um personagem. Por muitos anos o responsável foi o cartunista chileno Jimmy Scott. Em maio de 1989, quando Boechat retornou ao "Globo", Scott já havia deixado o jornal e quem assumiu os desenhos diários foi Cláudio Duarte – ou "Cláudio da Arte", trocadilho usado por Boechat para se referir a ele. Até 2001, quando o colunista encerrou sua história no "Globo", foram mais de quatro mil personagens retratados.

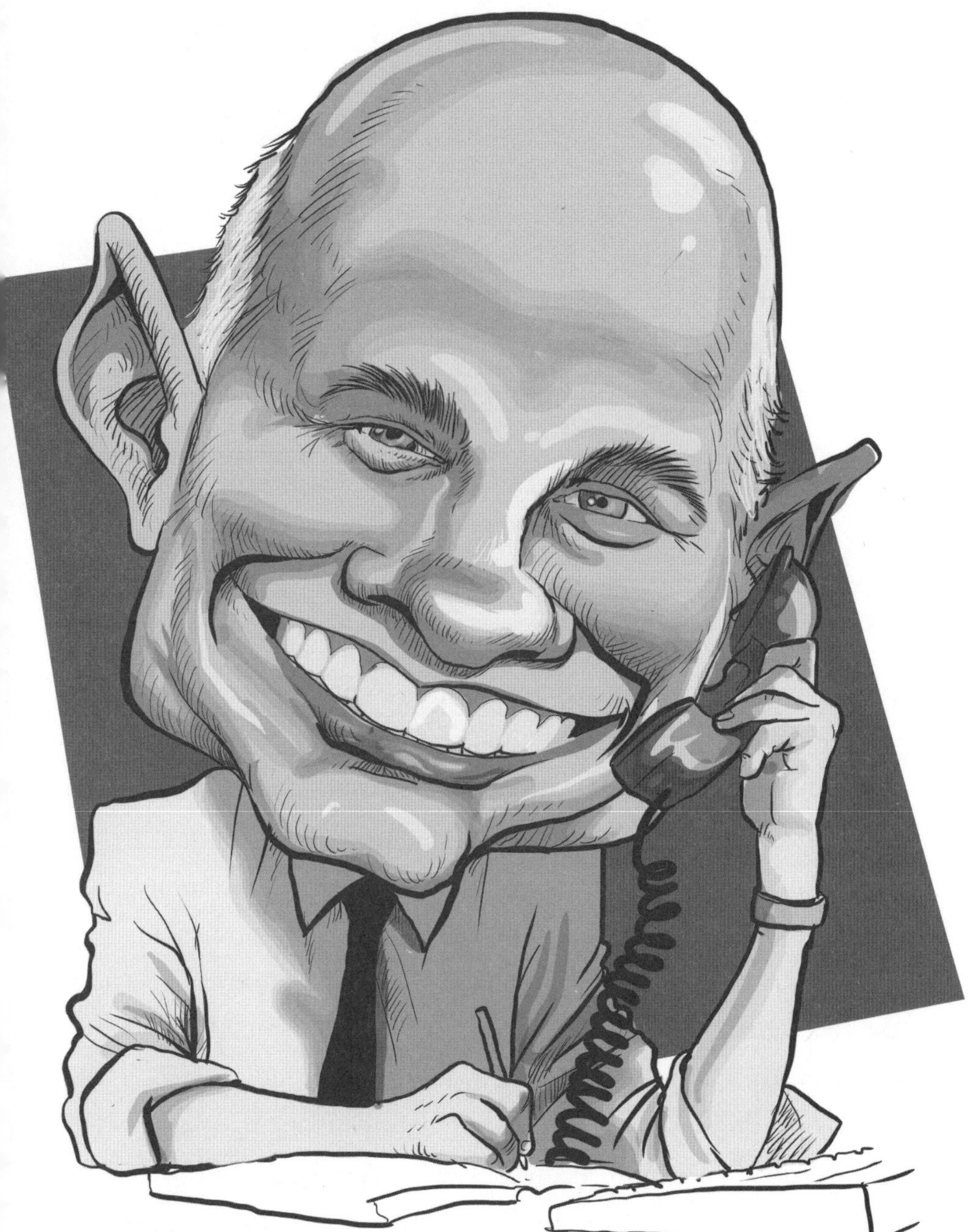
CLÁUDIO
DUARTE

No Caldeirão do Albertão

SERGIO PUGLIESE

Conviveu com Boechat no "Globo" entre 1995 e 2000 e foram grandes companheiros de pelada

Na pelada do Caldeirão do Albertão, no Grajaú, Boechat não era o primeiro a ser escolhido no par ou ímpar. Nem o segundo. Talvez nem o terceiro. Mas na lista dos fominhas encabeçava a relação com facilidade. Quando a rapaziada começava a chegar, ele já estava lá, dentro de seu Jipão, esperando o portão abrir. Algumas vezes dormindo, outras, no celular, correndo atrás de notinhas para abastecer sua coluna. Boechat, como sabemos, também era um fominha em informação!

Mas que fique claro: nosso querido coleguinha não era um perna de pau. Na verdade, o pessoal não gostava de jogar em seu time porque ele reclamava muito, era ranzinza além da conta, e prendia demais a bola. Era cabeça de área, mas avançava tanto que ganhou uma placa de Beto Ahmed, dono do campo: Avenida Boechat. A placa por muitos anos ficou presa no alambrado, mas uma bolada do saudoso Coronel arremessou-a ao matagal que cerca o campo. Boechat adorava essas zoações!

Não caía em pilhas e era essencial às resenhas. Jogava de bandana para proteger a careca e tinha uma disposição invejável, preparo adquirido nos rachas da Praia de São Francisco, em Niterói, de onde era cria. Waltinho Porquinho, seu sósia, era umas das maiores vítimas de suas reclamações. Um dia resolveu se vingar e lançou um apelido que acabou pegando, Boechato.

Mas ele era um chato corajoso. Certa vez, no Alto da Boa Vista, na casa de Álvaro da Camélia, onde a pelada do Albertão originou-se, virou herói! Como ninguém ouvia a campainha, pediu para distrairmos os dois rottweilers furiosos que cuidavam da casa, enquanto ele pulava o muro. Lá dentro, conseguiu localizar o caseiro e abrir o portão para os times entrarem. Foi carregado nos ombros!!!!

Boechat adorava discursar, homenagear os amigos e fazer surpresas. Mas nos amigos-ocultos de fim de ano, ninguém gostava de ser tirado por ele. Era péssimo na escolha de presentes. O craque Sérgio Sapo que o diga. Sofreu por dois anos seguidos. No primeiro, ganhou um sapo de louça, desses de enfeitar jardim, e no outro, um par de hashi, palitinhos de comida japonesa. Sapo trabalhou uma época no Japão e Boechat achou engraçadinho fazer essa associação. Sapo, não, afinal gastou uns trocados com uma sunga da Osklen para seu sorteado.

Boechat era um personagem típico das peladas cariocas, um cara essencial. Ajudava o organizador, Aziz Ahmed, a cobrar dos inadimplentes e costumava levar melancia para o café da manhã dos boleiros ressacados. O campo aliviava suas tensões e ele sempre contava histórias sobre a pelada em seu programa de rádio.

Fui o primeiro a encontrá-lo, dentro de seu Jipão, na porta do Caldeirão do Albertão, talvez no dia mais triste e conturbado de sua carreira. "Príncipe *(me chamava assim)*, a casa caiu". Quis entender. Ele pediu que eu entrasse no carro. Chorou enquanto eu lia a reportagem da "Veja" que trazia um grampo de uma conversa dele com Paulo Marinho. "Que sacanagem fizeram comigo", reclamava, transtornado. Boechat era um dos jornalistas mais poderosos do Brasil, colunista de "O Globo" e da TV Globo. Soluçava. Arremessou a revista para o banco de trás. "Filhos da puta!!!", berrou. Fiquei em silêncio. Desci do carro correndo quando vi Waltinho Porquinho se aproximando. Antes que ele soltasse o tradicional "Fala, Boechato!", achei conveniente afastá-lo.

Voltei e Boechat estava com o rosto apoiado no volante. Rodolfo Fernandes, editor-chefe de "O Globo", e citado na reportagem, também participava da mesma pelada, mas nesse dia não se encontraram. Olhos vermelhos, inconformado, ainda pensou em jogar, mas uma ligação de Ali Kamel o fez desistir. Precisava ir para casa, falar com advogados, família, essas coisas.

Ele passou para o banco do carona e dirigi até o Leblon. Me pediu desculpas pelo transtorno e sugeriu que eu voltasse voando no seu Jipão para não perder a primeira partida. Nos abraçamos e ele chorou mais uma vez. Convulsivamente. Entrou em casa, destroçado.

Ficou um bom tempo sem voltar ao Caldeirão do Albertão, foi morar em São Paulo e passou a jogar duas ou três vezes no ano. Numa delas, em um amigo-oculto, gargalhou quando Juarez Bombeiro subiu na mesa para declamar "O adeus de Teresa", de Castro Alves. Tinha dado a volta por cima, estava realizado. Limpando as lágrimas de tanto rir, colocou sua mão sobre a minha, olhou para o caminhão de amigos a sua volta e suspirou de felicidade. Eu sabia exatamente o que ele sentia. Todos sabíamos. Aziz Ahmed puxou o coro para que Boechat discursasse. De bandana, sunga e sem camisa, ele subiu na mesa e, feliz como pinto no lixo, agradeceu por estar ali. No fim, sugeriu um brinde à amizade! Foi o último ato de Boechat no Caldeirão, seu palco preferido.

'Fala, Vão Livre!'

TATIANA VASCONCELLOS

Dividiu com Boechat o estúdio da BandNews todas as manhãs entre 2010 e 2016

Todo dia ele fazia tudo sempre igual, lá pelas 7h25 da manhã: chegava carregando todos os jornais que seus braços eram capazes de sustentar, mais uma pasta, uma agenda e uma papelada avulsa. Algum colega solidário lhe abria a porta do estúdio da BandNews FM e ele desmoronava aquele caos na bancada. Chegava com a expressão ainda um pouco sonolenta, ao contrário do cérebro que já fervilhava sabe lá desde que horas.

Reclamava de alguma coisa, fazia uma piada às vezes besta, às vezes genial e começava a organizar sua bagunça de papéis, anotações e e-mails impressos de ouvintes, até que iniciasse seu comentário diário, às 7h30.

Em 2010, quando fui destacada para coapresentar o jornal que Ricardo Boechat comandava, sabia que seria uma experiência importante pro caminho que estava trilhando. Mas levei algum tempo para entender a dimensão de exercer meu ofício ao lado de um dos maiores comunicadores do país. Eu tinha 32 anos, era uma apresentadora ainda em formação. E o convívio diário com ele me ensinou coisas fundamentais para que eu encontrasse meu tom e meu estilo de conduzir o noticiário.

Boechat nos dava uma espécie de autorização simbólica para que fôssemos nós mesmos no rádio, espontâneos e imperfeitos, algo que até então era tido como pouco apropriado. Mas por quê? Quem disse que não era apropriado? Pois é. Com o Boechat não tinha essa de sugerir uma abordagem, fazer uma provocação ou levantar uma dissidência fora do ar, pra que ele avaliasse previamente ou se havia tempo para levar ao ar. Era tudo no microfone. Cansei de escrever observações e perguntas em papeizinhos, fazer mímica ou esperar que ele fosse bom de leitura labial e entendesse o que eu tentava dizer sem voz. Quase sempre ouvia de volta um sonoro: "Fala no microfone, Vão Livre". E assim não raramente começavam os debates que tantas vezes travamos no ar (e bagunçavam o relógio do jornal).

Parênteses para uma anedota: "Vão Livre" é uma corruptela de "Vão Livre do Masp", que foi como ele um belo dia resolveu me chamar, pelo fato de eu, com uma certa frequência, levar a ele notícias que diziam respeito às mulheres, aos negros, à população LGBT e a outros grupos minorizados – que em geral organizam atos que saem do vão livre do Masp. "Faaaaala, Vão Livre!". Ríamos muito disso, toda vez. Além de achar genial, eu simpatizava com o apelido.

Mas voltando... Eu não teria encontrado e desenvolvido o meu próprio jeito de me comunicar se não tivesse passado seis anos ao lado de alguém que mostrava todos os dias, na prática, que tem hora pra tudo: para falar sério, para se indignar, para criticar e cobrar quem deve ser criticado e cobrado, mas também para descontrair, para brincar e até para perder o fôlego de tanto rir (obrigada, Simão, meu bem!). Como é na vida, afinal. Entendi rápido que mais espontaneidade e humor não significavam necessariamente menor credibilidade jornalística. E que era dessa forma que eu gostava de me comunicar. E que o ouvinte também gostava, porque reconhecia do outro lado do rádio alguém parecido com ele: que erra e se corrige, que se emociona, que solta gargalhadas. Quem foi que disse mesmo que o apresentador não pode ser espontâneo ao microfone?

Uma vez, por ocasião de uma premiação, eu deveria indicar um jornalista para dar uma entrevista à revista "Imprensa" sobre o nosso trabalho. Num intervalo do jornal, falei com ele, meio ressabiada, e expliquei do que se tratava. "Você fala, Careca? Ou prefere não ter que mentir?", brinquei. Ele topou (não sem antes tirar uma onda e fazer um charme ranzinza). Na semana seguinte, durante o jornal, me contou que havia falado com a revista no dia anterior. Perguntei como tinha sido. "Ah... contei lá uma meia dúzia de mentiras a seu respeito". "Me conta!". "Espera pra ler na revista", e ria fazendo uma cara diabólica: "Hahaha". Fiquei curiosíssima (e com um pouco de medo também). E, para minha surpresa, ele falava sobre uma profissional cujo estado de espírito ele admirava, porque se indignava com os fatos e tinha a capacidade de "expô-los jornalisticamente sem negá-los do sentimento que merecem". Bem... Aquilo me emocionou demais. Nem eu sabia direito que era dessa forma que me relacionava com o jornalismo. Mas era essa profissional que eu queria ser. Ele reconhecia esse jeito porque tinha exatamente o mesmo dentro dele. E por isso se comunicava tão bem. E por isso alcançava tanta gente. E por isso tanta gente se identificava com ele. No dia seguinte, agradeci, disse que havia ficado surpresa e contente. "Não acostuma, não, Vão Livre."

Dias depois do acidente estúpido que o matou, ainda bastante chocada, profundamente triste e em contato com meus amigos da BandNews, ouvi algo grandioso do ex-diretor da rádio: nós fizemos história! De cara, achei exagerado. Eu nunca tinha pensado nisso, com esse distanciamento, nessa dimensão. Mas acho que ele tem razão. E sou muito orgulhosa de fazer parte desse pedaço da história do rádio brasileiro que o Boechat escreveu. Sua voz faria falta em qualquer época, mas é ainda mais sentida nesses tempos assustadores de cruzada político-ideológica contra a verdade, o conhecimento e o nosso ofício. "Toca o barco, Vão Livre".

O jornalismo ficou pior sem ele

TELMA ALVARENGA

Trabalhou na coluna de Boechat no "Jornal do Brasil" em 2003 e 2004

Eu já tinha quase 20 anos de profissão quando nos encontramos no "Jornal do Brasil", no início dos anos 2000. Claro que o conhecia das páginas e era leitora de sua coluna no "Globo", desde sempre. Desde o "Swann". Máquina de dar furos, Boechat foi capa da "Veja Rio" quando eu trabalhava na revista. Não coube a mim a missão de entrevistá-lo. Pena. Mas eis que na minha segunda encarnação no "JB", o mito, a lenda passou a ocupar um espaço vizinho ao meu. Já com a experiência de duas colunas, vislumbrei a possibilidade de trabalhar (ou melhor, aprender) com ele.

Mandei sinais de fumaça. Ele nem *tchum*. Amigos me indicaram. Nada. Até que um dia, ele aparece na minha frente e diz: "Quer trabalhar comigo? Então, você começa na segunda-feira". Era noite de sexta-feira, pescoção, precisava conversar com a minha chefe, dar um tempo para que ela colocasse alguém no meu lugar. "Mas Boechat...", tentei começar a argumentar. Ele me cortou: "É pegar ou largar". Peguei.

Naquela época, ele acumulava as funções de diretor de redação e colunista do jornal. Já tinha pensando em um nome para o meu (àquela altura já antigo) posto, conversou com a minha ex-chefe... Tudo certo. Como 2 e 2 são 5. Era como se ele me avisasse de como seriam meus dias, daquela sexta-feira em diante, por quase dois anos: corridos, urgentes, sobressaltados, desafiadores. Mas, eu veria depois, muito divertidos também.

Ele sempre chegava à redação falando ao celular, apurando loucamente, dando esporro na fonte quando ela vinha com uma notinha insossa... Se eu estava ao celular e meu telefone fixo tocava, ficava fazendo gestos para que eu atendesse.

– Por que não atendeu?

– Porque estava apurando uma notícia.

– Você pode ter perdido o furo da sua vida.

"Eu quero fonte primária", repetia como um mantra, todos os dias, para evitar que pegássemos o atalho das notas fáceis, passadas por divulgadores interessados apenas em vender seu peixe. Nada contra os divulgadores. Mas tudo contra notícias que só interessariam ao próprio divulgado.

Para agradar às boas fontes, as que nutrem o colunista com informações exclusivas, quentes, saborosas, há o espaço das notícias curtinhas, de agenda, ao fim de todas as colunas. Um dia, ouvi Boechat dizendo a um velho informante que daria a nota que ele estava passando ali. A fonte, com a intimidade de um antigo amigo da coluna, reclamou.

– Ninguém lê aquilo.

– Não? Então, vou dar uma notinha dizendo "Fulano *(disse o nome do amigo/informante)* foi visto, ontem, dando a bunda...". Vamos ver se ninguém vai ler.

Ele ria, a fonte também e... toca o barco!

Caçador incansável de furos, Boechat era um velho atrasador de jornal. Ia até o limite e... (quase) sempre abria o segundo clichê, para incluir uma nota mais quente.

Por discordar da forma como o dono do jornal estava tocando o negócio, resolveu deixar a direção e ficar apenas com a coluna. Quando foi trabalhar na Band, manteve a coluna do "JB", até o fim de 2005. Passava notas para a equipe por telefone ou por e-mail. E, claro, pedia para abrir o segundo clichê.

Perfeccionista, odiava errar e não era complacente com os erros da equipe. Toma-lhe esporro. Mas nunca deixava de dar um desmentido, embora, como todo jornalista, odiasse ter que fazer isso. Como dizia, dar uma notícia errada é o pior que pode nos acontecer. Mas infelizmente acontece. E ele nos ensinava a sempre admitir o erro. Mais difícil era conseguir escrever notas de correção com o charme, o sabor e a verve de humor do Boechat. Toma-lhe aprendizado.

Se os dias eram longos e intensos, os pescoções de sexta-feira, mais ainda. Num deles, saímos da redação do "JB", na Avenida Rio Branco, perto das cinco da manhã. Às vezes, na madrugada, faltava uma única notinha para fechar a coluna de domingo, Boechat sacava alguma de sua cartola, como esta, com o título "Pescoção": "Como diria mestre Ibrahim: domingo, dia de pernas de fora".

Trocamos e-mails quando ele saiu do "JB" (e eu não estava mais na coluna), em novembro de 2005, para se dedicar exclusivamente à TV Bandeirantes e à Rádio BandNews FM. Ele comemorava o fato de pela primeira vez, em 36 anos de profissão, estar encerrando o expediente antes das nove da noite, ou por volta disso. E de experimentar "o que é viver uma sexta-feira sem o terror do pescoção".

Aprendi uma enormidade nos quase dois anos em que trabalhei com esse cara brilhante, generoso, divertido, corajoso, exigente, ácido e, ao mesmo tempo, muito doce. Depois de um esporro daqueles, me pegava pelo braço e convidava para tomar sopa na Colombo. Era a senha para conversas deliciosas. Tivemos algumas brigas, levei broncas, ele me fez chorar no banheiro, mas também me fez gargalhar com seu humor refinado e suas histórias impagáveis. Trabalhar com Ricardo Boechat foi um privilégio. O jornalismo ficou bem pior sem ele.

Valeu, chefe!

Este livro foi diagramado por
Mariana Erthal (www.eehdesign.com) e
impresso na Gráfica Rotaplan em 2019,
utilizando papel Pólen Bold e as fontes
Dispatch e Chronicle Display